Vivre ses valeurs naturelles

Du même auteur

BIOGRAPHIES – RÉCITS

1997 Yvon Deschamps, un aventurier fragile. Éditions Québec Amérique.
1998 Languirand, biographie. Éditions Libre Expression.
1999 L'aventure unique d'un réseau de bâtisseurs. Éditions Transcontinental.
2002 Les cahiers noirs de Lynda Lemay. Éditions Contreforts.
2004 Universel Yvon Deschamps? Éditions Contreforts

ESSAIS SUR LES VALEURS ET LES TENDANCES SOCIALES

1982 Analyse de ses valeurs personnelles. Éditions Québec Amérique.
1985 Intervenir avec cohérence. Éditions Québec Amérique.
1985 Les chemins de l'autodéveloppement. En collaboration. Éditions Québec Amérique.
1985 Pédagogie ouverte et autodéveloppement. Éditions NHP.
1990 L'Effet caméléon. Éditions Québec Amérique.
1991 Des idées d'avenir pour un monde qui vacille. Éditions Québec Amérique.
1995 Réussir l'avenir. Éditions NHP. Version Québec.
1995 Réussir l'avenir. Éditions NHP. Version Nouveau-Brunswick.
1996 Demain, une caricature d'aujourd'hui. Éditions NHP.
2002 Pour que les valeurs ne soient pas du vent. Éditions Contreforts.
2003 Quelle est votre mosaïque de vie? Éditions Contreforts
2005 Vivre ses valeurs naturelles. Éditions Contreforts.

ESSAIS SUR LA PÉDAGOGIE OUVERTE ET LE PROJET ÉDUCATIF

1976 Vers une pratique de la pédagogie ouverte. Éditions NHP.
1991 Éducation aux valeurs et projet éducatif. Éditions Québec Amérique.
Tome 1: L'Approche. Tome 2: Démarches et outils.
1992 Une pédagogie ouverte et interactive. Éditions Québec Amérique.
Tome 1: L'Approche. Tome 2: Démarches et outils.
1999 Pour des pratiques pédagogiques revitalisées. Éditions MultiMondes.
Collectif sous la direction de Luce Brossard.

OUVRAGES COMPLÉMENTAIRES DE CETTE CATÉGORIE:

1971 Techniques sociométriques et pratique pédagogique. Éditions NHP
1977 Plan d'études et pédagogie ouverte. En collaboration. Éditions NHP.
1979 Le projet éducatif. Éditions NHP.
1980 Le projet éducatif et son contexte. Éditions NHP
1980 Grille d'analyse réflexive pour cheminer en pédagogie ouverte.
En collaboration. Éditions NHP.
1981 Évaluation et pédagogie ouverte. En collaboration. Éditions NHP.
1982 Activités ouvertes d'apprentissage. En collaboration. Éditions NHP.
1984 Des pratiques évaluatives. En collaboration. Éditions NHP.
1984 La pédagogie ouverte en question? Débats autour de la philosophie
de Claude Paquette UQAR. En collaboration. Éditions Québec Amérique.
1986 Vers une pratique de la supervision interactionnelle. Éditions NHP. Réimpression 1998.
1987 Implantation des programmes. Éditions Interaction.
1989 Outils de gestion pour la direction générale. Éditions Interaction.
1989 Outils de gestion pour la direction des services éducatifs. Éditions Interaction.

Pour plus de détails, consulter le site Internet de l'auteur: www.claudepaquette.qc.ca

Claude Paquette

Vivre ses valeurs naturelles

Éditions Contreforts
Case postale 590, Victoriaville, (Québec) G6P 6V7
Télécopieur : 819-382-2971
Adresse électronique : editions@claudepaquette.qc.ca

Site de Claude Paquette : http://www.claudepaquette.qc.ca

Diffusion et distributeur au Canada : Messageries ADP
2315, rue de la Province
Longueuil, Québec
J4G 1G4
Téléphone : (450) 640-1237

Dépôt légal : 1er trimestre 2005
Bibliothèque nationale du Québec
Bibliothèque nationale du Canada
Imprimé au Canada

Conception graphique : Serge Tardif
Photographie de la page couverture : Serge Tardif
Révision linguistique : Diane Martin

Table des matières

« On ne naît pas en naissant.
On naît quelques années plus tard,
quand on prend conscience d'être. »
Réjean Ducharme dans *L'avalée des avalés.*

« Mais j'aime ces rêves d'enfant
qui refusent de s'abîmer dans l'âge adulte. »
Gérald Bouchard

« Je me targue que d'une seule chose :
c'est de n'avoir pas démérité les valeurs
qui ont été celles de ma jeunesse. »
André Breton

Prologue

Depuis l'adolescence, il y a des désirs, des valeurs et des idéaux qu'on porte en soi et qui, surtout dans les périodes difficiles de la vie adulte, viennent nous tourmenter, provoquant ainsi des sentiments profonds d'inachèvement et d'inaccomplissement. Pour certains, la récurrence de ces sentiments se transforme en cynisme, en défaitisme et en fatalisme, tandis que pour d'autres, elle sert de tremplin pour relancer la vie dans de nouvelles directions. À ce moment, la notion fort complexe de valeurs naturelles constitue l'une des clés essentielles quand on cherche à devenir ce qu'on est, base de l'accomplissement. De plus, j'affirme ici que cette idée de valeurs naturelles est directement associée à la philosophie de vie de chacun.

Même si j'en pressens l'utilité et la nécessité depuis fort longtemps, j'ai hésité avant d'entreprendre la rédaction de cet ouvrage; je craignais certainement que le propos en soit déformé par tous ces charlatans amateurs de quincaillerie

« nouvel-âge » qui se jettent comme des prédateurs sur toute nouvelle notion afin d'alimenter leur clientèle. Dans mes plus mauvais rêves, je vois un groupe de personnes disposées en cercle sous la « compétence » d'un animateur amateur qui pose la question suivante à chacun, même s'il est incapable d'y répondre pour lui-même : « Et toi, quelles sont tes valeurs naturelles ? » J'entends alors tout le charabia alimentant les discussions qui conduisent directement à une simplification outrancière des idées, des notions et des concepts et à une confusion bienvenue quand on veut « aller chercher la profondeur des êtres ». En excellent prédateur, « innocemment », l'animateur entretiendra cette confusion qui lui donne un matériel suffisant pour plusieurs séances subséquentes de « prise de parole ». Et, surtout, il acquiescera à tous les propos de ses « animés », car il sait, par expérience, qu'il s'agit de la meilleure stratégie afin de maintenir un climat chaleureux qui laissera poindre « cette émotion si nécessaire à l'abandon ».

Mais puisque la vie est un risque, je fonce malgré toutes les inquiétudes que j'ai.

En fait, mon intérêt pour les idées développées dans le récit que je vous propose maintenant remonte à la fin de mon adolescence, donc tout juste avant mon passage à l'âge adulte. À cette époque, la catégorie intermédiaire qu'on nomme aujourd'hui « jeune adulte », et qui se prolonge jusqu'au début de la trentaine, n'existait tout simplement pas. Un jour, on était un adolescent et le lendemain, quelqu'un dans notre entourage décrétait qu'on avait le statut d'adulte. Pour ma génération, généralement, ce passage coïncidait avec le décret parental suivant : « Il est maintenant temps que tu nous payes une pension hebdomadaire. »

À cette période, je menais une double vie, soit celle d'un normalien aux études à plein temps et celle de travailleur également à temps complet. En plus, je rêvais d'écrire des essais et des romans. À ce jour, ce rêve s'est partiellement réalisé. En effet, j'ai écrit beaucoup d'essais et même des biographies, mais pas de roman, sauf une courte ébauche rédigée à l'automne 1965. Je n'y renonce pas, même si je me demande encore si j'en ai le talent et le désir. Après tout ce temps, je ne sais pas si j'y tiens vraiment. Ainsi ai-je appris que le rêve est une chose, que le désir de le réaliser en est une autre, que le talent de l'accomplir en est une troisième. Mais j'ai aussi compris que les valeurs fondamentales qui inspirent ma philosophie actuelle se sont essentiellement élaborées au cours de mon adolescence.

Cette période de la vie porte également en elle des jugements de valeur qui sont des indicateurs de certains refus qu'on exprime déjà. Récemment, j'ai retrouvé de courts chapitres de ce « roman »[1] commencé quelques mois après être passé de l'adolescence à l'âge adulte. Au verso de la première page figure cette question qui est quasiment obsessionnelle pour moi : La vie adulte n'est-elle qu'un appauvrissement progressif des désirs, des valeurs et des idéaux de jeunesse? À cette époque, je répondais oui et, dans un jugement sans nuances teinté d'une certaine prétention, j'affirmais que c'était pour cela qu'on sombrait progressivement et irrémédiablement dans la médiocrité.

L'écrivain Claude Jasmin exprime bien ce que pensent généralement les générations d'adultes de cette même question. « Je ne suis certainement pas le premier à dire : Jeune, j'avais rêvé ma vie et ça n'a pas marché du tout comme je prévoyais. Enfant – adolescent aussi – on fait des songes grandioses, on veut tenir des paris intenables. La réalité nous rabaisse le caquet. »[2]

Constat lucide et pragmatique, certes, mais troublant parce qu'il ouvre la porte à d'autres questions brumeuses. Ne dit-on pas que l'adolescence est une période cruciale de la vie car elle permet de se construire une identité personnelle et de se développer une vision du monde ? Mais qu'est-ce que la maturité qui, affirme-t-on, vient avec l'âge adulte ? Est-ce l'altération ou le reniement de son identité intime construite souvent difficilement au cours de l'adolescence ou est-ce un achèvement, un accomplissement ? Est-on mature quand on vit sans cesse dans un inconfort axiologique ou quand on pratique un style de vie qui n'est pas une préférence ?

Ce livre est le récit d'une réflexion nourrie par les questions précédentes, par ma propre expérience et par celles de témoins rencontrés ici ou ailleurs. À travers tout cela, j'espère que le lecteur ou la lectrice aura la possibilité d'appliquer cette réflexion vagabonde à son propre récit de vie. Dans cet ouvrage, les points de vue adoptés sont essentiellement philosophique et sociologique, et très occasionnellement psychologique.

Cet ouvrage ne propose donc pas une recette ou une méthode du « comment vivre ». Et, rassurez-vous, il ne contient pas de formules imprécatoires afin de vous convaincre d'adhérer à une façon particulière de vivre ou à une philosophie quelconque. Le malheur ne vous guette pas si vous n'adhérez pas aux réflexions proposées. Vous vivrez tout simplement autre chose. Rien de plus, rien de moins. Rien de catastrophique.

Ce livre contient une proposition. Tout simplement. Et une proposition, on peut y adhérer totalement, partiellement ou encore la rejeter.

Tout au long de votre lecture, rappelez-vous cette merveilleuse phrase du philosophe de la vie qu'est Henri Bergson :

« L'acte libre est celui qui nous ressemble. »

Étant très à l'aise avec cette citation, j'ai été habité par elle tout au long de la rédaction de cet ouvrage de philosophie vagabonde.

Première partie

1

Enquête sur les valeurs naturelles

Suis-je justifié de prétendre que les valeurs naturelles d'une personne se forment au cours de l'adolescence et que ces mêmes valeurs servent de boussole au cours de toutes les autres périodes de la vie ? La vie éloigne-t-elle chacun de ses valeurs naturelles, donc de ses repères ? Faut-il retrouver ses valeurs naturelles afin d'être à l'aise avec la vie et avec soi-même ? Qu'est-ce que s'accomplir par ses valeurs naturelles ?[3] Pour s'accomplir par ses valeurs naturelles, tous ces détours de la vie sont-ils nécessaires ou utiles ? Mais une vie harmonieuse ne serait-elle pas ennuyeuse ?

Depuis fort longtemps, je traîne ces questions dans mon bagage.

En trente-cinq ans, j'ai professionnellement fréquenté quelques dizaines de milliers de personnes de toutes les générations. Habituellement, on m'invite à communiquer mes réflexions sur un sujet que j'ai déjà abordé dans l'un de mes ouvrages ou encore pour que j'aide un groupe à cheminer dans sa propre réflexion, mais par rapport à des thèmes qui me sont familiers.

Évidemment, de telles rencontres ne sont pas très favorables à la communication intime, sauf quand certaines personnes participent à plusieurs événements étalés sur plusieurs années.

Depuis longtemps aussi, j'ai pris l'habitude d'approfondir certaines de mes préoccupations et certaines de mes hypothèses en prenant contact avec une ou plusieurs personnes rencontrées au cours d'un événement afin de poursuivre l'échange. Il peut s'agir d'une personne particulièrement lumineuse dans une intervention ou encore d'une autre qui, par ses commentaires, m'ouvre de nouveaux points de vue éclairants et stimulants, ou même quelquefois d'un participant qui réagit plutôt mal à certains de mes propos. Rarement m'a-t-on refusé une telle demande de collaboration.

À différentes époques, je réunis aussi des personnes afin d'approfondir certaines notions ou certaines idées sur lesquelles je réfléchis. Quelquefois, j'entreprends de vastes enquêtes comme celle que j'ai menée auprès d'adolescents et de jeunes adultes, au siècle dernier, soit au milieu des années 90.

À travers tout cela, un peu à la manière d'un détective, je reste attentif, je dirais même sur le qui-vive, car je suis toujours à la recherche d'intuitions, d'observations, d'informations et de témoignages[4]. Il arrive ainsi que des rencontres insolites ou des lectures inattendues provoquent des réflexions stimulantes et éclairantes.

Voici donc un méli-mélo de ce que j'ai appris ou compris au cours de ces multiples rencontres. Quelquefois, je présente mes personnages en profondeur, alors que d'autres fois ils sont à peine esquissés. Plusieurs de ces cas sont exposés dans la première partie. Je dirais qu'il s'agit en quelque sorte des personnages principaux. Les autres sont des personnages secondaires mais nécessaires à l'enquête.

Petit à petit, les éléments de cette enquête s'organisent autour de réflexions qui se sont imposées à moi. Prenez cela comme étant les éléments d'une mosaïque qui se construit progressivement tout au long de cet ouvrage.

Léonard me permet de mesurer l'importance de personnages qui, passant même très rapidement dans nos vies, nous mettent sur la piste de nos valeurs importantes. La spéculation à partir de l'histoire d'un autre devient alors source de connaissance de soi pour celle ou celui qui est attentif aux résonances, celles-ci pouvant montrer des similitudes ou des différences entre deux scénarios de vie. Le même phénomène s'observe quand on lit une biographie qui a des échos dans notre propre vie.

Maud m'apprend qu'une période d'équilibre dans la vie d'une personne est le temps le plus propice pour saisir qui l'on est, pour faire l'inventaire de ses rêves et pour se projeter dans ses désirs. Pour moi, ces périodes d'équilibre correspondent à ce que j'appelle la zone « soleil », période où l'on se sent bien avec soi et avec son style de vie. Également, l'histoire de Maud me confirme que les valeurs naturelles viennent en concurrence quand elles se traduisent dans des activités chronophages. C'est le cas notamment pour un quatuor de valeurs telles que le travail, la famille, l'amitié et l'amour, chacune nécessitant une attention quasi quotidienne. Il est bien beau d'avoir des valeurs naturelles claires, mais sont-elles conciliables avec le quotidien envahissant de la vie ?

Pour sa part, **Évelyne** me confirme l'importance de la période entre quinze et vingt ans dans la construction des assises de ses valeurs naturelles. L'échange avec celle-ci a été le déclencheur d'une vaste réflexion avec des jeunes de ce groupe d'âge afin de scruter leurs valeurs et leurs visions de l'avenir. Du même coup, j'ai appris que les jeunes sont beaucoup plus lucides sur leurs propres valeurs et sur les valeurs sociétales qu'on le croit généralement.

Paul et Martine me convainquent de l'existence d'êtres profondément souffrants qui n'arrivent jamais à cette zone de confort psychologique et axiologique nécessaire à la connaissance de soi et à la prise de décision pour améliorer sa propre vie.

Jocelyne et Mathieu me démontrent que les crises que nous traversons à différentes étapes de la vie sont indissociables de la perte des idéaux et des utopies. Il n'est pas possible de redécouvrir ou d'assumer ses valeurs naturelles sans cet effort de s'approcher en quelque sorte de l'inatteignable.

Je me suis intéressé au criminel **François Besse** quand certaines personnes m'ont déclaré qu'elles refusaient cette théorie des valeurs naturelles parce qu'il y a risque que des personnes s'en servent afin de justifier des actes que la société réprouve. Il s'agit ici du problème des pulsions, celles qu'on ne maîtrise pas, pulsions quelquefois malsaines et intolérables dans une société donnée.

Des livres et des films alimentent aussi cette réflexion sur les valeurs naturelles. Spontanément, je pense à l'ouvrage de **Colette**, *La Vagabonde*, car j'y retrouve les fils qui tissent une identité refoulée depuis son enfance. Je pense aussi au livre et au film *Sur la route de Madison*, écrit par Robert James Waller. Vécue au cours de l'été 1965, l'histoire d'amour de Francesca et de Robert me conduit à une réflexion sur l'évolution des valeurs au cours des décennies. Cette histoire ouvre la porte à une réflexion sur l'ambivalence de deux valeurs qui, quelquefois, se complètent, s'ignorent ou se concurrencent : le respect de soi et le respect de l'autre. Je puiserai également dans quelques biographies afin de soutenir certains éléments de cette approche dite des valeurs naturelles.

L'histoire de **Josette** alimente tout ce livre sur les valeurs naturelles. Pour moi, Josette est une personnalité attachante qui se débat afin de trouver de nouveaux repères pour relancer sa vie après un échec retentissant. J'ose affirmer qu'elle a une personnalité extrêmement contemporaine, car elle est l'incarnation même des contradictions entre les attentes de la société dite hypermoderne et les aspirations des individus. Elle a cru, et c'est probablement son plus grand malheur, en des valeurs qui ne correspondent en rien à ce qu'elle est.

Tout au long du dernier ouvrage de cette trilogie[5] portant sur les valeurs, vous constaterez que l'idée de l'élan vital traverse toutes ces histoires. Tout comme les valeurs naturelles, l'élan vital prend naissance chez chacun dès les premières expériences significatives de vie. L'élan vital est cette force motrice qui propulse les rêves, les idéaux et les utopies. Cette force est faite d'instinct et d'intelligence, comme l'explique le philosophe Henri Bergson. Elle maintient les enthousiasmes tout au long de la vie, malgré les échecs et les déceptions. Sans celle-ci, ne sommes-nous pas condamné à une vie plus ou moins éteinte, sans désir de progression ?

2

Le musicien qui détonne

La Fête de la musique s'organise un peu partout dans Saint-Germain-des-Prés tout comme dans les autres arrondissements de Paris. Symboliquement, elle a lieu au solstice de l'été. Le début de l'après-midi a été froid et pluvieux, mais la soirée s'annonce fort belle. Des groupes de musiciens s'installent tout au long des artères principales tandis que les passants s'arrêtent devant les différentes installations. Des amuseurs publics colorent les lieux. Tous les genres musicaux se confondent dans ce paysage urbain. Déjà, en ce début de soirée, il y a foule dans la rue. L'image est impressionnante. Il y a ceux qui déambulent et il y a ceux qui marchent au pas de course. Les premiers participent à ce début de fête tandis que les autres pressent le pas, probablement afin de rentrer à la maison pour remplir leurs obligations.

« L'habit ne fait pas le moine », me dis-je en voyant un des musiciens installés devant une mercerie. Le groupe est composé de six musiciens dont un a une apparence qui détonne par rapport aux autres membres du groupe. Il est grand et mince. Porte un imperméable brun avec ceinture à la taille. Des gants de cuir, ou une imitation ? Cravate classique et chemise blanche. Derrière lui, ouverte, une mallette style homme d'affaires dans laquelle il y a des partitions musicales. Autour de trente-cinq ans. Pour leur part, ses compagnons ressemblent à des gitans. Deux ont des cuivres, deux des bois et l'autre une batterie et des cymbales. Près de ce dernier, une grosse caisse.

À une cinquantaine de mètres de là, à l'autre coin de rue, des jeunes jouent du hard rock. Les deux groupes rivalisent afin d'attirer les badauds.

Le musicien qui détonne joue d'un instrument massif et curieux qu'il doit enfiler pour pouvoir s'en servir. Physiquement, le joueur est dans celui-ci. Plusieurs fois dans mon enfance, j'ai vu ce type de cuivre dans des fanfares sans qu'il attire vraiment mon attention. Plus tard, j'ai appris que c'est un sousaphone, de la famille des tubas.

Après une trentaine de minutes, le batteur lance : « Vas-y Léonard ! » La musique est de plus en plus saccadée. Le musicien qui détonne s'avance et fait le tour de la foule d'une cinquantaine de spectateurs, comme pour l'encercler. Il est dos à celle-ci, donc sa musique est dirigée vers l'extérieur, comme pour attirer les autres badauds. Maintenant, il est le seul à jouer. Cela crée une drôle d'ambiance puisque le sousaphone n'a plus à soutenir le groupe rythmique. Des sonorités nouvelles pour moi. Après quelques minutes de ce solo, les autres musiciens s'avancent en prenant différentes positions autour du cercle, tandis que le batteur s'installe en plein centre de celui-ci. Soudainement, la foule s'emballe quand tous les musiciens reprennent en harmonie avec Léonard. Il y a maintenant plus de personnes en dehors du cercle qu'à l'intérieur. Après une dizaine de minutes, progressivement, les musiciens se rassemblent au centre du cercle autour du batteur qui rythme une marche avec la grosse caisse; cela ressemble au jeu d'une fanfare militaire. Alors, ils se déchaînent et entraînent les spectateurs dans une fête de plus en plus participative en mêlant des rythmes de musique du bayou, de jazz et de musiques des pays d'Amérique latine. Tout à coup, les musiciens entreprennent une troisième marche parmi la foule de quelques centaines de personnes en s'arrêtant régulièrement comme pour dédier un bout de pièce musicale à quelques-unes. Au cours de cette marche d'une trentaine de minutes, le cercle se fait et se défait sans cesse au gré des mouvements des musiciens. Ils sont maintenant face à la mercerie, dos à la foule. Tout s'arrête. Le groupe se replace face à la foule. Les cris de joie et d'appréciation fusent de partout. Maintenant, sagement, ils interprètent une pièce langoureuse dans laquelle les deux saxophones dominent les autres instruments. Autour de la mercerie, on observe des couples qui s'enlacent, d'autres qui s'embrassent, d'autres qui dansent et certains qui écoutent tout simplement cette musique rêvasseuse, amoureuse et nostalgique. À ce moment, je comprends le sens de l'expression « se sentir groovy ».

Par la suite, les pièces s'enchaînent et rien ne laisse présager qu'il y aura un événement un peu plus tard. À moins que nous ne venions d'assister à un instant unique.

Le badaud qui arrive maintenant sur cette place observe un groupe de musiciens dans lequel il y a un musicien qui détonne. Il trouve cela bien ordinaire et il poursuit son chemin. Un autre s'attarde et il en résultera peut-être une expérience nouvelle qui questionnera et qui influencera la vie.

« Qui est ce musicien qui détonne ? D'où vient-il ? Que pense-t-il de la vie ? Est-il à l'aise avec la vie ? Gagne-t-il sa vie dans le monde de la musique ? » ai-je écrit dès le lendemain matin dans ce cahier noir qui me suit toujours dans mes déplacements.

J'aurais tellement aimé interviewer ce musicien, mais un violent orage nous a chassés du lieu.

« Puis-je retrouver ce musicien ? » me suis-je demandé durant toute la matinée. Un flash. Homme bien mis d'un certain chic. Musique coin mercerie. Voilà, il travaille dans ce magasin. Peut-être en est-il même le propriétaire ? À ce titre, il commandite peut-être ce groupe de musiciens. Qui sait? Je décide donc d'aller enquêter au commerce situé à une quinzaine de minutes de mon hôtel. Observation à travers les vitrines. Va et vient constant à l'intérieur. Beaucoup de clients. Parmi les commis, je crois même reconnaître un des saxophonistes du groupe. Avec contentement, je me dis que je suis sur une bonne piste. J'entre. Magasin spacieux. Très chic. Musique classique comme fond sonore. Les regards de quelques clients me laissent savoir que je détonne dans cet environnement. Je me dirige vers les étals de chandails en feignant un certain intérêt auprès d'un commis qui me questionne sur mes besoins vestimentaires. Rien à moins de 125 $ canadiens. Je n'ai pas le budget pour un tel achat. Donc, aussi bien y aller directement au lieu de faire semblant d'être intéressé par la marchandise. Je demande au commis derrière le comptoir :

« Puis-je m'entretenir avec monsieur Léonard ?

- Désolé, monsieur, mais je ne connais personne de ce nom qui travaille dans mon commerce. Mais qui est ce Léonard ?

- Il s'agit d'un musicien que j'ai rencontré hier soir devant votre commerce. Il jouait du sousaphone avec un groupe. »

Avec beaucoup de détails, je décris le musicien qui détonne au patron du magasin. Celui-ci ne peut me fournir aucune information susceptible de m'aider dans mon enquête. Il me suggère de me présenter à un bureau de la mairie puisque les groupes de musiciens doivent s'inscrire quand ils participent à une fête dans un lieu public.

Déception. Devant quitter Paris dès le lendemain matin, je ne vois vraiment pas comment je pourrais retrouver ce musicien. En revenant à mon hôtel, je tente d'obtenir des informations de la mairie. Mais après quelques coups de téléphone, je sens que je m'enfonce déjà dans un labyrinthe administratif.

Je renonce à une rencontre avec ce musicien tout en sachant que cette image m'habitera longtemps. Je ne sais cependant pas qu'elle me poursuivra en revenant sans cesse m'interpeller.

Au cours des semaines suivantes, je me replie sur mon imagination en spéculant sur le passé de ce musicien prénommé Léonard. Avec aplomb, je lui invente une vie antérieure et actuelle, des dilemmes, des malaises et des désirs.

Je vous livre donc le scénario qui me semblait le plus probable à cette époque.

Au lever ce matin, le ciel est terne. Tout Paris est enrobé d'un épais brouillard. Une fine pluie tombe. « Et dire que c'est le passage du printemps à l'été aujourd'hui, passage qui sert de prétexte à une grande fête dans les rues », se dit Léonard en s'affirmant qu'il ne sera pas de celle-ci encore cette année. Il ne peut pas. Il ne doit pas. Il ne veut pas.

Chaque année, à la même date, Léonard vit la même angoisse et le même dilemme. Et cela dure depuis plusieurs années. En fait, cela dure depuis ce mois de juin où ils sont venus à Paris afin de mener une vie sérieuse qui leur permettrait de gagner leur vie d'une manière normale.

Au petit déjeuner, c'est l'éternel recommencement, caractérisé par la précipitation souvent joyeuse pour les enfants, mais oppressante pour les parents qui doivent voir à ce que tout fonctionne pour le mieux. Ainsi vérifient-ils les horaires de chacun en rappelant les consignes qui font partie habituellement d'une bonne organisation familiale. La routine quoi!

Émilie, la conjointe de Léonard, travaille comme gérante d'une boutique de fleurs au centre de l'arrondissement de Saint-Germain-en-Laye. Elle quitte la maison la première puisqu'elle a aussi la mission de laisser les deux enfants à l'école, située à mi-chemin entre la résidence et le commerce.

Partant toujours le dernier, Léonard ne déteste pas cette situation qui lui procure une trentaine de minutes de répit avant de se rendre à l'Opéra, quartier où il est chef comptable dans une banque. Depuis son arrivée dans la région parisienne, il travaille pour celle-ci et il a gravi patiemment les échelons en respectant tous les protocoles et ménageant toutes les susceptibilités. Il n'a rien brusqué. Il a suivi le mode d'emploi. Et il a réussi comme son père le lui a enseigné.

Tous les matins, c'est le même scénario quand il se rend au boulot : embouteillage, salutations respectueuses à l'arrivée, démarrage ritualisé de la journée de travail (café, lecture du courrier, prise de connaissance rapide des pages économiques des quotidiens du matin, consignes à la secrétaire et échanges avec des collègues sur quelques nouvelles internes fraîches).

Mais ce matin-là, les choses ne sont pas pareilles. Depuis

plusieurs mois, Léonard ressent un malaise intérieur qu'il croyait réglé depuis longtemps. « Dix ans de cette vie », se dit-il tout en prenant conscience qu'il sera probablement encore là dans vingt ans puisque d'autres promotions sont très improbables compte tenu de son profil de carrière et de sa formation. Il songe souvent à cet emprisonnement, mais il sait qu'il ne peut rien y changer maintenant qu'il a femme et enfants, donc des responsabilités et des engagements. Et que dire de cette dette qu'il n'arrive pas à rembourser à son père? Celui-ci est un homme aux principes rigoureux et il ne fait pas beaucoup dans la nuance. Il n'a cependant jamais refusé d'aider son fils, mais il ne se gêne pas pour lui imposer des conditions affectant la manière de vivre de celui-ci ou pour lui faire la morale quand il le juge nécessaire.

« Je ne me sens pas bien, alors je m'absente pour quelques heures », annonce-t-il à sa secrétaire. « Au moins, il y a cet avantage quand on est patron d'un service », pense-t-il en quittant précipitamment la banque car il sait qu'il ne reviendra pas de la journée.

Ne voulant pas rencontrer des collègues de travail, Léonard sort du quartier. Il prend le métro dans la direction Saint-Germain / Saint-Michel. À la fin de l'après-midi, il reprendra son auto avant de rentrer à la maison. À la sortie du métro, une pluie fine l'accueille dans ce quartier qu'il considère, il ne sait trop pourquoi, comme le quartier de la liberté. Depuis dix ans, de temps à autre, il s'y retrouve quelques heures pour flâner sans intentions précises. « Juste pour le plaisir d'être là », comme il le dit à ses copains.

Une journée à soi ! Il déambule sur le boulevard Saint-Michel. Il pleut toujours légèrement, mais quelle foule, même s'il n'est que dix heures ! Il s'y sent bien. Personne ne l'interpelle. Personne ne lui demande de comptes. Personne ne le connaît et il ne veut communiquer avec personne. Il savoure le plaisir de l'anonymat.

« Est-il possible de fuir la vie ordinaire ? » Cette question le harcèle depuis plusieurs mois. Impossible de la chasser de son esprit. Auparavant, il ne se l'est jamais posée. Maintenant, elle est omniprésente. Tout se passe comme s'il n'avait plus le contrôle sur ses idées qui s'entrechoquent à un rythme effarant. Récemment, il a pensé à la folie. « Peut-on volontairement devenir fou ? Ou être délibérément hors du monde ? » Ni questions, ni engagements, ni désirs, ni rêves. Une vie au neutre !

Léonard pense souvent à un vieil oncle qui, du jour au lendemain, a sombré dans une période aphasique, lui qui avait passé sa vie active dans le monde des communications. Très rapidement, il s'était enfermé dans un long silence, et ce, jusqu'à la fin de sa vie. Aucun neurologue n'avait alors réussi à expliquer le phénomène par l'habituelle lésion du cortex cérébral. Alors, comme deux clans rivaux, ses proches spéculaient sur diverses hypothèses pour expliquer le problème de cet homme : il était effectivement malade, mais les spécialistes en neurologie ne pouvaient pas expliquer cette forme d'aphasie ou il faisait semblant d'être malade, il jouait un rôle. S'était-il mis à l'écart du monde en adoptant cette stratégie ?

Après plus d'une heure de marche, Léonard est revenu à son point de départ juste en face de la librairie Gibert. *Les Français : qui sont-ils ? Où vont-ils ?*, un livre de Gérard Mermet trône en vitrine. Cyniquement, Léonard se dit qu'il faudrait une autre version à cet ouvrage : « Léonard : qui est-il ? Où va-t-il ? »

En entrant, il feuillette cette brique de quatre cents pages en s'attardant à quelques titres de chapitres évocateurs : « Bonheur : aujourd'hui plus qu'hier, mais bien plus que demain – Couple :

être heureux ensemble et séparément – Famille, je vous aime – Consommation : entre le paraître ou l'être – L'argent n'a plus d'odeur – Les valeurs traditionnelles en berne – Une valeur d'avenir : l'égologie. »

« Dans un monde dur et dangereux, l'individualisme devient peu à peu la seule valeur sûre. Celle qui, finalement, commande toutes les autres. La volonté de vivre pour soi, en dehors de toute contrainte, en écoutant ses propres pulsions, est le dénominateur commun de la société actuelle », lit-il sous la rubrique égologie. Léonard se dit que son père fulminerait en lisant une telle description : « C'est le devoir qui doit conduire chacun, non pas les pulsions », affirmerait-il sans hésitation en se sentant attaqué dans ses convictions les plus profondes.

Léonard se dirige vers l'espace musique. Battant tous les records de vente avec *Like a virgin*, la provocante et sexy Madonna s'étale par affiches interposées sur tous les murs et détrône même l'idole française Johnny Hallyday avec son *Rock'n'roll attitudes.* Léonard n'apprécie pas tellement cette chanteuse qui, selon lui, n'est pas un bon exemple pour les jeunes adolescentes, mais il sait bien que sa propre fille crierait de joie en recevant cet album. Il a toujours eu une affection particulière pour Johnny parce que celui-ci ne se limite pas à un seul style musical. Dès son lancement le mois dernier, il a acheté cette nouveauté qu'il aime beaucoup. « Il y a quelque chose de moi dans chacune de ces chansons. Elles m'apaisent tout autant qu'elles m'interpellent », a-t-il confié à Émilie qui le questionnait sur cet achat la surprenant un peu.

En relisant la liste des chansons de l'album, Léonard prend conscience qu'il connaît parfaitement les paroles de plusieurs d'entre elles.

« C'est beau et il le sait

De s'être abandonné.

Vivre, c'est comme aimer.

Vivre, c'est partager.

Jamais abandonner [...]. »[6]

« On a tous –

Quelque chose en nous de Tennessee

Cette volonté de prolonger la nuit

Ce désir fou de vivre une autre vie

Ce rêve en nous avec ses mots à lui. »[7]

Évidemment, Léonard cherche aussi son propre album, qu'il a produit avec son groupe l'année qui a précédé son départ de Nice, album financé par son père et qu'il n'a d'ailleurs pas encore remboursé. Aucune trace de ce disque. Pas plus ici que chez les autres disquaires de Paris puisqu'il vérifie depuis fort longtemps avec toujours l'espoir de le voir réapparaître.

En quittant la librairie Gibert, il achète *Le Figaro*. Puis il entre au Café de Cluny et s'y installe au deuxième étage près d'une grande fenêtre. Il place le journal devant lui tout en commandant une bière pression. En attendant celle-ci, il jette un œil rapide sur l'actualité : c'est encore la guerre dévastatrice entre l'Iran et l'Irak et Mikhaïl Gorbatchev, le sauveur annoncé de l'U.R.S.S., qui retiennent l'attention. On y annonce aussi la démission surprise de René Lévesque, premier ministre du Québec. Même si cela est vague, il se souvient de cet homme que son père avait rencontré au cours d'une mission économique organisée entre le Québec et la France. Pour témoigner de cette rencontre, une photographie montrant les deux hommes se serrant la main a, encore aujourd'hui, une bonne place dans son bureau de Nice.

« Mon père est toujours fier de ce qu'il fait, de ce qu'il construit, souvent envers et contre tous. Même dans l'échec, il est fier d'avoir tenté le coup. Comment se fait-il que son fils soit si soumis, si résigné ? » se demande Léonard avec étonnement pour la première fois de sa vie. « Mais je n'ai pas toujours été ainsi », se dit-il comme pour nuancer cette prise de conscience qui entretient son mal-être actuel. « Comment se fait-il que je reviens toujours à mon père pour expliquer mes propres faiblesses et mes propres dérives ? » Au plus profond de lui-même, il sait bien que c'est souvent une manière facile d'écarter sa responsabilité dans ses propres problèmes en falsifiant la ou les causes.

Tout à coup, une affiche bleue et noire posée sur une colonne au centre du café attire l'attention de Léonard : « Faites de la musique ! 21 juin. Ministère de la culture. »[8] Dans la partie bleue, un dessin occupe les deux tiers de l'affiche : un petit bonhomme en vert enlace de longues feuilles blanches de musique qui s'envolent.

Que s'est-il passé entre ce moment et celui où Léonard se retrouve devant cette mercerie à une centaine de mètres du Café de Cluny ? Objectivement, je l'ignore. Mais il est indéniable que cet homme a joué du sousaphone au cours de la soirée. Il a fait de la musique.

J'ose espérer que Léonard a téléphoné à Émilie pour lui annoncer qu'il participerait à la Fête de la musique.

Et j'ose aussi croire qu'Émilie lui a dit quelque chose de semblable à ceci : « Je suis heureuse que tu fasses cela. Je crois que la vie nous a amenés dans des directions qui ne nous conviennent pas. Je sais que cette soirée changera nos vies. Je suis avec toi parce que je crois en toi. À plus tard ! »

J'ai peut-être complexifié à outrance cette histoire. Mais il se peut aussi qu'elle soit plus compliquée que cela. Qui sait !

Bien sûr, j'ai écrit une version de ce qui aurait bien pu se passer au cours de l'après-midi. J'ai également reconstitué les grandes lignes de la vie de Léonard et d'Émilie dix ans plus tôt, donc dans l'année précédant leur départ de Nice. « Un autre projet inachevé », me suis-je souvent dit en revoyant cette quarantaine de pages dans mon dossier de projets interrompus.

Qui n'a pas fabulé sur la vie de quelqu'un juste à partir d'un contact imprévu ou d'un coup d'œil ? Qui n'a pas observé une personne en se demandant ce qu'elle a fait hier et ce qu'elle fera demain, ou en spéculant sur sa vie de famille, ou en s'interrogeant sur son style de vie ou sur ses rapports amoureux ? Invente-t-on le scénario de vie d'une personne sans faire appel à des préoccupations personnelles ? Faites un essai conscient. À distance, dans un lieu public, observez une personne inconnue, seule ou accompagnée. Ne freinez pas votre imagination. Vous constaterez alors que plusieurs des pistes que vous élaborerez rejoindront certaines de vos préoccupations actuelles. Autrement dit, une partie de votre scénario correspondra soit à des valeurs proches de vos aspirations ou à des valeurs que vous rejetez dans votre propre vie sans nécessairement y arriver dans toutes les dimensions de celle-ci. Et s'il vous reste quelques préjugés bien tenaces, ils émergeront assurément.

Il y a une quinzaine d'années, j'ai souvent présenté cette scène du musicien qui détonne à d'autres personnes dans des rencontres d'exploration des valeurs. Non pas tout mon scénario, mais uniquement la description du groupe devant la mercerie. La première image quoi ! Celle qui a été le déclencheur. Celle qui a persisté pendant plusieurs années dans mon esprit.

Au départ, la scène amuse invariablement. Cet amusement passé, un processus d'analyse s'amorce : mille hypothèses, mille énigmes, mille explications sont possibles. Par contre, les scénarios élaborés par les personnes sondées se regroupent de trois façons. Un premier type ressemble au mien, qui est axé sur les dilemmes de l'existence, sur les styles de vie conflictuels et sur les rêves irréalisés ou irréalisables. Un deuxième type de scénario met en scène une vie duale : par exemple, insatisfaction au travail, mais satisfaction dans une activité de loisir. Et finalement le troisième type en fait un musicien heureux et en harmonie, la musique étant pour lui un gagne-pain et un accomplissement.

3

L'univers de Maud

À la suite de la publication de deux chroniques sur les valeurs, l'une sur le temps et l'autre sur la vie aventureuse, Maud me contacte et elle me livre ses réactions personnelles. Jeune prodige issue des sciences politiques, Maud, sans vraiment en avoir fait le choix, s'est retrouvée dans le personnel politique d'un ministre influent du gouvernement canadien. À trente-cinq ans, elle compte déjà onze années de service dans ce milieu, pendant lesquelles elle a alterné entre le pouvoir et l'opposition. Malgré « ces inconvénients professionnels de la démocratie », comme elle dit, elle n'a jamais regretté d'avoir dit oui lorsqu'on lui a proposé ce poste avant même qu'elle ne termine ses études.

À trente-cinq ans, non pas par insatisfaction, Maud envisage de profonds changements dans l'organisation de sa vie personnelle et professionnelle. « Le temps est venu des décisions », se dit-elle quand elle songe à l'avenir.

Héritée de ses parents, Maud a une vision bien particulière de la progression dans la vie, vision qui repose sur le principe suivant : il vaut mieux amorcer des changements modestes ou profonds quand tout va bien plutôt que d'attendre d'être en période de déséquilibre ou de crise. Autrement dit, le principe affirme qu'une personne à l'aise avec la vie prend des décisions sereines et appropriées. Maud se souvient de ses parents qui anticipaient les décisions à prendre « avant que la situation nous échappe », disaient-ils.

De cela, elle retient qu'il est préférable de prendre des décisions importantes dans la joie que dans la douleur ou dans l'urgence.

Maud connaît bien les valeurs qui inspirent et animent sa vie actuelle : le travail, l'amour et l'amitié. Elles teintent son style de vie, elles lui procurent de grandes satisfactions et elles la mènent vers l'accomplissement. C'est son univers personnel et professionnel. Mais elle constate que ces trois valeurs demandent un investissement considérable de temps quand elles sont toutes à la fois des préférences et des références, pour elle qui de par sa nature profonde ne se contente pas de faire les choses à moitié.

Maud et Charles partagent des valeurs communes depuis dix ans. En plus, tous deux rêvent de fonder une famille, projet qu'ils reportent année après année. Quelquefois, ils se demandent même s'ils y tiennent vraiment. Venant tous les deux d'un milieu aisé et gagnant bien leur vie respective, Maud et Charles ne reportent donc pas ce projet sous prétexte d'éventuelles difficultés financières. La vie qu'ils mènent est dispendieuse. Vaut mieux avoir un bon budget pour la vivre. C'est leur cas. Mais ils constatent que cette sécurité financière, ils craignent de la perdre. Alors, ils sont de moins en moins aventureux dans leurs projets d'avenir. Quelquefois, ils se demandent aussi si l'égoïsme n'est pas en train de s'immiscer dans leurs valeurs de préférence.

Maud m'écrit: « Oui, il est venu le temps des décisions. Je n'en doute pas, car je souhaite que la deuxième période de ma vie soit encore plus stimulante que la première et que la troisième soit une véritable apothéose. Rien de moins. Afin d'atteindre cela, il n'y a que deux possibilités dans mon milieu de travail: le déplacement horizontal ou l'ascension, donc le déplacement vertical. Dans la première figure, changer de poste ne change rien, car les défis sont tous semblables; dans la seconde, les défis sont nouveaux, mais cela ne m'intéresse pas de devenir une gestionnaire, même de haut rang. Alors, il est clair que mon avenir est ailleurs, donc il y a des décisions à prendre. Votre approche concernant la prise de décision me semble basée sur beaucoup d'analyse. Je ne conteste pas l'importance de cela, mais j'aime plutôt l'action que l'introspection. Ai-je tort? Ai-je mal compris votre propos? Mes proches me disent que j'ai tout pour être heureuse, et effectivement je crois l'être, alors pourquoi s'embêter avec des réflexions semblables? me demandent-ils. »

4

La jeune Évelyne

Un après-midi, il y a maintenant une dizaine d'années, je me présente à l'entrée de l'amphithéâtre d'une école secondaire francophone située dans une province de l'est du Canada. On m'y a invité pour présenter une causerie aux trois ou quatre cents élèves finissants, causerie sur les valeurs et sur les tendances d'avenir dans un monde qui vacille. On m'avait informé que cette conférence s'inscrivait dans une semaine thématique sur les carrières et les professions. Déjà la veille, dans une autre école, j'avais présenté avec succès cet exposé devant une centaine d'étudiants dans un agora chaleureux. En soirée, j'avais prononcé une conférence adaptée pour les membres de la Chambre de commerce de la région.

Revenons à cet après-midi mémorable sur plusieurs points. Une dame me présente en lisant un court texte dont elle prend visiblement connaissance en même temps que l'auditoire. Le bruit de la salle l'enterre littéralement.

Assis à une petite table sur la scène, je commence mon exposé en mentionnant qui je suis et surtout en précisant le sens de mon propos. Je parviens à attirer l'attention des auditeurs, mais cela ne dure pas. Au bout d'une dizaine de minutes, j'ai l'impression de soliloquer tellement l'auditoire est bruyant. Pourtant, certains étudiants réclament tout aussi bruyamment que les autres se la ferment parce qu'ils veulent écouter mes propos.

Tout à coup, les professeurs se lèvent et arpentent les allées afin de ramener à l'ordre, par du non-verbal, celles et ceux qui ne portent pas attention à l'invité. Le bruit baisse, mais je sens toujours une forte tension dans l'amphithéâtre.

À partir de ce moment, je délaisse mes notes et j'y vais plutôt d'une série de phrases chocs afin de susciter des réactions et, ainsi, d'engager une période d'échanges. Réussite partielle, mais cela me permet surtout d'amorcer cette discussion que je juge nécessaire dans ce type d'intervention. Les professeurs patrouillent toujours les allées selon une méthode ressemblant à une chorégraphie. Ça donne l'impression qu'ils ne l'appliquent pas pour la première fois.

Je me souviens de quelques interventions significatives. Celle notamment d'un jeune couple qui, de toute évidence, a un plan de vie bien clair en tête. Avec une certaine insolence, le gars me questionne plusieurs fois sur cette tendance qu'ont les gouvernements à réduire, voire à annuler les aides directes aux démunis de la société. Il se sent déjà attaqué dans ses droits futurs, m'affirme-t-il en me lançant que « la liberté s'applique aussi au droit de travailler ou de ne pas travailler. Comme vous dites, c'est une question de style de vie, monsieur ». Vlan !

Celles aussi de plusieurs jeunes chaudement applaudis par leurs confrères et consœurs qui veulent tout simplement savoir s'ils pourront mener « une vie juste normale » dans un avenir prévisible, ce qui, m'expliquent-ils, est leur rêve. Question fort légitime quand on sait que la première moitié des années 90 a été teintée par un climat d'incertitude et de crise économique qui n'en finissait plus. À cette époque, les gourous des tendances affirmaient que le travail indépendant remplacerait quasi totalement le travail salarié, que la sécurité d'emploi allait être bannie, que les jeunes de cette époque étaient condamnés à étudier toute leur vie afin de s'adapter aux exigences changeantes et imprévisibles du marché... Des propos propres à décourager des jeunes qui pensent plus souvent qu'autrement à décrocher. Avoir une vie normale, c'est « être capable de payer ses factures, d'avoir une maison, deux automobiles, un conjoint et deux enfants, et, si possible, une piscine dans la cour arrière », m'affirme un étudiant quand je lui demande de me clarifier cette idée de la vie juste normale.

Je retiens également les commentaires lapidaires de ces autres jeunes plutôt agressifs qui ont des idées bien arrêtées sur « ces vieux qui mènent le monde, qui se sont emparés de toutes les bonnes jobs et qui se sauvent avec la cagnotte quand l'heure de la retraite arrive ». Ils sont aussi sans ménagement à l'égard des représentants de la classe politique, qu'ils qualifient tous de fraudeurs, de profiteurs et de menteurs.

Je me rappelle particulièrement ma dernière intervention dans ce milieu.

À la suite de la question d'une jeune fille, je termine ma présentation en nommant les valeurs qui me semblent les plus importantes pour moi qui approche alors de la cinquantaine, valeurs que je crois avoir essayé de vivre toute ma vie. En les décrivant par des attitudes et des exemples concrets, je leur parle des valeurs d'autonomie et d'interdépendance, de liberté et de responsabilisation ainsi que de fidélité de soi à soi. J'insiste aussi sur la difficulté d'être cohérent par rapport aux valeurs qu'on préfère parce que tout nous invite à l'incohérence dans la société.

Grâce à la question de cette jeune fille, la conférence se termine en douceur avec une bonne qualité d'écoute. J'ai à peine le temps de les remercier et d'entendre un début d'applaudissement que la cloche leur rappelle que la période est terminée et qu'ils doivent se diriger vers un autre local. En moins d'une minute, la salle est vide.

À la fin de la rencontre, Évelyne, la jeune étudiante en question, me rejoint à l'avant en me demandant si j'ai du temps à lui consacrer. Elle se dit touchée par mes propos, mais cela lui complique l'existence puisqu'elle a une décision fort difficile à prendre dans les quelques semaines qui suivront. Elle m'explique dans des mots qui se rapprochent de ceci : « Sans me vanter, je suis une étudiante qui réussit très bien à l'école. Toutes les portes des facultés universitaires me sont ouvertes. À l'étude de mon profil, l'orienteur de l'école m'a suggéré de m'inscrire en médecine ou dans une carrière scientifique. Il a même déniché des programmes de bourses associés à de grandes fondations afin de m'aider financièrement. Évidemment, mes parents sont enthousiasmés par cette perspective d'avenir pour leur fille. Ils insistent pour que je fasse médecine. Mais moi, j'ai un problème majeur avec cette situation : je ne veux pas faire une carrière médicale ou scientifique, je veux devenir sculpteure. Selon vous, qu'est-ce que je dois faire ? »

Ouf ! Quelle question ! Ce « qu'est-ce que je dois faire ? » renferme tant de sous-questions et de nuances. Qui suis-je pour orienter une jeune fille que je ne connais pas, mais qui pose une question et qui s'attend au moins à des pistes pour y répondre ?

Je n'hésite pas à lui offrir de mon temps, même si j'avais le projet de rentrer le plus vite possible dans ma campagne appalachienne située à plus de six cents kilomètres de cette école.

« Qu'est-ce que je dirais à ma propre fille dans ce type de situation ? » me suis-je demandé alors que nous nous dirigions vers une petite salle de conférence que l'école met à ma disposition. Évidemment, je l'écouterais, mais cela ne règle absolument rien, car Évelyne a besoin avant tout d'un conseil ou du moins d'un éclairage différent sur une situation nouvelle pour elle.

Notre conversation dure une quarantaine de minutes. Je découvre une jeune fille sensée qui a de l'instinct. Elle sait ce qu'elle veut et ce qu'elle ne veut pas dans la vie. Elle veut créer et vivre de sa création. Elle se sent totalement vivante quand elle sculpte sans contrainte et sans évaluation. Et elle ne veut pas attendre l'autorisation des autres pour le faire ou encore le faire à temps partiel ou durant les vacances. Elle partage déjà un atelier avec une cousine. Elle y passe tous ses moments libres et elle vend suffisamment de ses œuvres pour payer sa part de loyer et ses frais de matériel. Avant deux ans, elle compte suivre des cours sur le développement de la créativité avec Howard Gardner à l'Université de Boston.

Après avoir discuté de ses valeurs, de ses intérêts, mais surtout de son rapport à la liberté, à la sécurité et à l'argent, je lui suggère ceci : « Je te conseille deux choses liées. Crée-toi un univers autour de tes intérêts et de tes préoccupations et essaie de le transformer en style de vie. Quel genre de vie veux-tu mener ? Quelle est la place de la sécurité pour toi ? Quelle est la place de la liberté ? À quoi trouves-tu du plaisir quand tu crées ?

Aimes-tu le travail solitaire ? »

En route vers chez moi, j'ai tout le loisir de réfléchir aux trois présentations des derniers jours. Je ne suis pas choqué par l'attitude de ces étudiants, même si l'on pourrait considérer que la valeur respect de l'autre n'est pas très présente dans cette génération. Mais je suis choqué du fait que les organisateurs ne m'ont pas bien expliqué le contexte dans lequel se déroulerait cette dernière conférence. Cela aussi est un manque de respect.

Évelyne sera-t-elle sculpteure ou médecin ? Aujourd'hui, je sais par l'entremise de son « orienteur » qu'elle enseigne à temps partiel dans une université américaine de la côte Est. Elle n'a pas fait médecine, mais elle achève des études doctorales en histoire de l'art sculptural. Elle expose souvent ses œuvres en bronze en plus de superviser des expositions dans son université. Un poste de professeur permanent l'attend dès la fin de ses études. Elle a encore son atelier dans sa région natale.

Cette jeune Évelyne m'a beaucoup fait réfléchir depuis cette rencontre, surtout sur l'idée de la maturité. J'y reviens dans la deuxième partie.

5

Josette, la battante abattue

Maintenant, je vous présente Josette, l'un des personnages qui reviendra fréquemment dans les prochaines tranches de ce récit. Je l'ai rencontrée en juin 1985 à Cannes au cours d'un colloque de deux jours. Alors étudiante, elle m'était apparue comme étant très volontariste et surtout très cohérente. Physiquement, elle me rappelle la chanteuse française Barbara. Par la suite, je ne l'ai plus revue.

Au cours de l'hiver 2002, par la magie d'Internet, elle a repris contact. Depuis ce moment, son histoire m'inspire puisqu'elle est un peu la synthèse de toutes celles que je collige depuis longtemps sur le thème de cet ouvrage.

Donc je vous raconte les grandes lignes de cette histoire que j'ai reconstruite à partir d'échanges avec Josette. Quand cela me viendra, je ferai des liens avec d'autres personnages, notamment dans la deuxième partie.

Dans ce chapitre, je vous présente le cheminement de Josette avant qu'elle n'entre en contact avec moi. La suite de cette histoire sera proposée dans l'épilogue de ce livre.

Quand tout le corps pleure et
que la pensée vagabonde.

Assise sur un banc de parc près de la boulangerie, Josette attend le train qui l'amènera vers une nouvelle vie, laquelle ne présente, pour le moment, aucune balise. Quitter Antibes est le dernier geste qu'elle fera afin de boucler la boucle de son ancienne vie somptueuse et prometteuse.

Au tournant de la quarantaine, cette Française a vécu une expérience bouleversante. Elle n'a rien vu venir, elle qui croyait avoir toujours eu une parfaite maîtrise de son existence. En quelques mois, la battante est devenue une perdante à ses propres yeux et aux yeux des autres. Malgré tous ses efforts pour renverser la situation, elle se retrouve sans aucun revenu, sans moyen autonome de déplacement et sans domicile fixe, alors qu'elle habitait un somptueux appartement-bureau avec vue sur la Méditerranée. Maintenant, elle se sent une moins que rien.

Il y a environ une heure, elle a refermé la porte de son appartement, saisi par la justice. Sur le pas de la porte, un serrurier attendait afin de changer les serrures, comme pour lui signifier définitivement que tout avait changé et que cela était irréversible.

En marchant vers la gare, Josette passe devant le musée Picasso et un peu plus loin devant un café « très tendance », comme on disait dans son ancienne vie. Avec son conjoint et des amis, elle y a fait de belles rencontres. L'effervescence et l'euphorie étaient toujours au rendez-vous. Tous se croyaient des surhommes et des surfemmes capables de tout par la seule force de leur volonté et de leur opportunisme.

Tandis qu'elle est assise sur ce banc de parc et serre sa valise noire contre elle, l'image de sa mère refait spontanément surface. Elle la revoit sur le petit banc droit installé tout au fond du jardin de la maison familiale dans la région de Bresse, lisant dès qu'elle en avait la possibilité. Elle semblait tellement sereine, cette mère toujours disposée à aider ses proches, rarement insatisfaite de l'instant présent et peu encline à se projeter dans le futur.

Ce doux souvenir réconfortant s'enfuit quand un couple de jeunes punks l'aborde en lui proposant de flatter le gros rat que la jeune fille tient dans ses mains. Josette crie tellement fort que les deux punks disparaissent rapidement dans la gare.

« Que faire quand on ne sait plus quoi faire ? » se répète inlassablement Josette, comme si une telle incantation allait lui indiquer la voie à suivre. En moins d'une année, elle a perdu tous ses repères. Tout ce qu'elle a construit en une quinzaine d'années a été balayé. Même Jacques, son conjoint, a fui quand il a senti que le navire sombrait et, surtout, quand il a pris conscience que Josette perdrait tout dans cette aventure, tant son entreprise que sa crédibilité. Dans un monde fondé sur les apparences, le rejet est souvent sans appel et l'isolement automatique. Pourquoi des gagnants se mêleraient-ils à des perdants puisqu'ils n'en tireraient aucun avantage ?

En montant dans le train, elle croise une seconde fois les deux jeunes marginaux qui, avec un petit sourire narquois, lui disent en utilisant un ton sophistiqué et cynique : « Dans son beau petit tailleur à la mode, madame a eu peur de notre gentil copain. Mais depuis quand les grandes bourgeoises prennent-elles le train ? Est-elle un imposteur ? une espionne ? une ministre peut-être ? » Se retournant, ils s'en prennent maintenant à un homme âgé, droit comme un chêne, qui arbore impeccablement le costume de la fanfare locale. « À chacun sa mission », se dit Josette en voyant les deux punks se diriger vers l'extérieur de la gare.

Au cours du trajet, Josette ressent un grand vide, plus réconfortant qu'angoissant. En fait, elle se sent plus triste que malheureuse. Elle s'étonne d'ailleurs de sa réaction. Habituellement, elle est très émotive, très concernée par chaque situation, et elle ne connaît pas la neutralité. Or là, elle s'abandonne à une certaine indifférence, même à l'égard de sa propre situation. Mais elle se connaît suffisamment pour savoir que cela n'est que temporaire.

Josette s'en va se réfugier dans une petite maison donnant sur l'Atlantique, quasiment à la frontière de l'Espagne et de la France. C'est un professeur qui lui a enseigné à l'université, il y a plus de vingt ans de cela, qui la lui prête. Lorsqu'elle a voulu quitter Antibes, elle lui a téléphoné afin de vérifier la possibilité qu'on lui procure un travail à l'université. Bertrand, ce professeur, lui a clairement expliqué que cela était quasiment impossible à ce moment de l'année. Ayant lu dans les journaux ce qui arrivait à Josette, spontanément, il lui a proposé sa maison de campagne pour le temps nécessaire, d'autant que lui n'avait pas l'intention de l'utiliser au cours des douze prochains mois.

Un bel événement pour Josette qui, à quarante ans, ne voulait surtout pas se retrouver dans sa famille et subir les interrogatoires de ses sœurs et frères qui ont hérité du cynisme, du pessimisme, du défaitisme et du fatalisme de leur père.

À la gare, Brigitte, une voisine de Bertrand, l'accueille comme si elles se connaissaient depuis longtemps. Mais, en femme attentive, elle comprend rapidement que Josette ne veut pas échanger. Alors, elles roulent sans rien se dire. En descendant de l'automobile pour lui remettre les clés de la maison, Brigitte lui mentionne qu'elle a acheté des victuailles pour au moins une semaine et elle lui signale que Bertrand lui a laissé un message, qu'elle a déposé sur la grande table dans son bureau.

« Alors on se revoit dans huit jours pour aller faire le marché. Si tu as besoin de quelque chose avant, j'habite la petite fermette bleue qu'on voit de la terrasse arrière. »

Josette remercie Brigitte pour toute cette attention.

Sur le pas de la porte, Josette prend conscience qu'elle a quitté la Méditerranée quelques heures plus tôt pour se retrouver devant l'Atlantique. « Y a-t-il un signe là ? » se demande-t-elle en entrant chez Bertrand.

Elle fait un tour rapide de la maison, qu'elle connaît déjà puisqu'elle y est venue une fois il y a une quinzaine d'années. Rien ne semble avoir changé depuis cette époque, sauf un coin ordinateur ajouté dans le bureau de Bertrand. Le message de ce dernier est bel et bien là. Elle le lira plus tard.

Josette retourne à l'extérieur. Très lentement, comme si elle voulait ne rien déranger, elle fait le tour du terrain, fort bien aménagé mais dans un style assez anarchique. Tout semble avoir été planifié afin de créer du désordre.

Elle contemple longtemps l'océan tumultueux, d'une luminosité changeante. Elle trouve cela beau et troublant à la fois.

« Mais qu'est-ce qu'il y a en face ? Quelle ville ? Quel village ? Y a-t-il une personne qui regarde dans ma direction ?

Est-elle heureuse ? » Cette idée d'un individu de l'autre côté de l'océan, qui se poserait les mêmes questions, ne l'étonne pas, elle qui adore inventer des personnages.

Sur la terrasse avant de la maison, un vieux hamac jaune est toujours installé entre deux colonnes. Josette s'y étend. Elle est surprise d'y sentir la même odeur saline que lors de son séjour précédent.

Longtemps, Josette fixe le ciel agité. Elle a alors le sentiment d'être hors du monde, sentiment qu'elle affectionne mais qu'elle n'a pas ressenti depuis des années puisqu'elle était trop occupée à bâtir son avenir. Elle s'y abandonne. Lentement, une tristesse monte en elle, une tristesse qui ne vient pas d'un grand malheur comme celle qu'elle a ressentie lors du décès de sa mère, mais une peine qu'elle retient et qu'elle contrôle depuis longtemps. Malgré tous ses efforts pour la maîtriser, petit à petit, cette peine a fait son chemin. Maintenant, les larmes coulent abondamment. Suit une chaleur qui envahit tout son corps qui pleure comme si les yeux ne pouvaient pas suffire à l'évacuation des eaux.

Josette n'a pas la force de quitter le hamac. Elle y reste sans bouger et sans réagir. Elle a l'impression qu'elle vient de créer du vide afin d'accueillir de nouvelles émotions et de nouvelles pensées.

De plus en plus violent, le vent d'ouest printanier, mélange de courants chauds et de courants frais, sort Josette d'une somnolence bienfaitrice. Depuis plusieurs mois, c'est la première fois qu'elle ne rêve pas ou qu'elle ne pense pas à ses problèmes en s'assoupissant. « Le vent commencerait-il à tourner ? » se demande-t-elle en quittant le hamac pour entrer dans la maison de ce fidèle ami qu'elle voit trop peu souvent.

En se préparant un casse-croûte, elle met un disque compilation de Jean-Jacques Goldman. « Vraiment, il est resté accroché à la chanson francophone des années 50 à 80 », se dit-elle en examinant rapidement la discothèque de Bertrand. Seul ce Goldman lui semble un peu plus moderne.

Depuis qu'elle est arrivée dans ce lieu, Josette sait qu'elle a entrepris un long voyage en solo parce qu'elle croit, comme sa mère le lui a enseigné par son exemple, qu'une personne adulte est totalement responsable de son passé, de son présent et de son avenir.

« Suis-je triste parce que j'ai subi un échec retentissant qui va changer ma vie ou parce que je ne suis pas devenue ce que j'aurais voulu ? »

Aujourd'hui, c'est l'unique phrase qu'elle inscrit dans le cahier acheté quelques jours avant de quitter Antibes.

Après plusieurs jours d'une vie quasi monastique, Josette n'a pas rédigé grand-chose dans son cahier, elle qui croyait qu'elle y tiendrait le journal d'une renaissance espérée. Elle y inscrit de temps en temps des réflexions qui ne semblent pas liées. Elle vagabonde d'une idée à l'autre en se souvenant d'un fait, d'une expérience heureuse ou malheureuse, d'un propos qui prend une nouvelle signification aujourd'hui. Elle ajoute sans cesse des questions qui restent sans réponse, comme toutes les autres. En les relisant, elle prend conscience qu'elle est en train de démonter tout ce qui s'est passé au cours des dernières années : Pourquoi ai-je fait ceci ou cela ? Pourquoi ai-je été aussi vaniteuse ? Suis-je trop influençable ? naïve, peut-être ? Déterminée, je le suis sûrement. Alors pourquoi ai-je lâché prise ?

Josette n'aime pas cette manière de faire qui consiste à tout décortiquer pour trouver la ou les causes de ses problèmes. Elle aime encore moins la pratique de la confession qui lui donne cette impression d'avoir été une mauvaise fille parce qu'elle n'a pas agi en conformité avec les règles.

Depuis son arrivée, Josette s'impose une routine jusqu'au début de la soirée. Tôt le matin, elle prend son premier café en compagnie de son cahier. C'est un rituel. Quelquefois elle n'écrit rien, mais il est là. Quand il fait beau, elle commence sa journée sur la terrasse arrière, très ensoleillée. Le jour, elle entretient le grand jardin de Bertrand en prenant soin de respecter le style anarchique qu'il lui a donné. En élaguant les arbustes et les arbres ou en creusant pour planter de nouvelles fleurs qu'elle a trouvées dans une petite serre installée au fond du terrain, elle se sent utile. Entre les travaux jardiniers, beau temps, mauvais temps, elle marche le long de la côte. Le soir, elle suit l'actualité à la télévision, regarde des séries romanesques, lit ou, le plus souvent, écoute de la musique en passant en revue toute la discothèque de son hôte. Certains soirs, jusqu'à épuisement, elle danse en inventant de nouvelles chorégraphies. À un moment donné, elle se met à danser une valse sur une musique de Michel Polnareff en tenant la photographie de son ancien professeur au bout de ses bras. C'est détonnant à souhait, mais qu'importe. Pendant plusieurs années, elle a fait de même avec la photo de sa mère. Depuis que Colette est décédée, elle n'ose plus, par respect sûrement.

Ce soir-là, avec certaines craintes, Josette décide de lire le message de Bertrand.

> « Bienvenue dans la petite maison au hamac jaune.
>
> Rassure-toi, je ne vais pas te donner mille conseils pour te sortir de ton pétrin. Je ne le ferais

pas même si tu me le demandais. Pourquoi? Tout simplement parce que, même si je te connais, toi, je ne connais rien à ton monde. Moi, j'ai passé ma vie à me documenter et à écrire des papiers que je transmets par la suite à mes étudiants. Je suis un passeur, comme on dit prétentieusement dans le jargon universitaire. Je n'ai jamais pris de risques ni financiers ni intellectuels. Je me contente de transmettre à mes étudiants les fondements de la civilisation occidentale telle qu'on l'imagine dans les cercles d'intellectuels. En deux mots, je suis bien intégré, et finalement je suis un beau produit de ce système français d'éducation conservateur et élitiste. Et je m'en porte très bien.

Alors, j'admets ne pas comprendre grand-chose à l'ambition démesurée, voire mégalomaniaque, qui semble t'avoir habitée ou animée depuis sept ou huit ans. En te disant cela, je ne te fais pas de reproches. Je ne sais même pas si l'ambition a de la valeur dans une vie, parce que je ne sais pas si elle rend heureux ou malheureux. Je te dis simplement que cela m'étonne et que cela détonne par rapport à l'image que j'ai toujours eue de toi, même si nos contacts ne sont pas fréquents.

Peut-être suis-je encore accroché à cette première impression que j'ai eue quand tu es entrée dans ma salle de classe, il y a près de vingt ans maintenant. Un seul mot décrit bien cette impression : la fraîcheur. Non pas celle de la jeunesse, mais celle de la personnalité. Une fraîcheur éclatante et lumineuse. Dès tes premières questions, je fus confirmé dans cette impression. Elles étaient toujours imprévisibles et surtout elles étaient déséquilibrantes pour le vieux professeur que j'étais déjà. Avec toi, j'étais toujours sur le qui-vive. J'attendais toujours le moment où tu rebondirais. Tu n'écoutais pas le cours, tu étais dans le cours. Heureusement pour moi, les autres étudiants étaient plus passifs.

Que dire du séjour dans ma petite maison de la côte atlantique ? En dehors des pressions académiques et des horaires planifiés, j'avais pris l'habitude d'y organiser un séminaire annuel avec quelques-uns de mes meilleurs étudiants. Tu étais la seule femme parmi mes six invités. Nous étions tous subjugués par ton engagement dans nos discussions sur les grandes questions existentielles de l'époque. Vers la fin de cette rencontre campagnarde, je vous avais demandé d'exprimer sommairement quelle était votre conception de la vie rêvée. Sur un ton grave, avec conviction, tu avais alors affirmé que tu aspirais à une vie dans laquelle il n'y aurait rien de trop. Sans le savoir, tu venais de me donner une clé qui est encore importante pour moi aujourd'hui. Par exemple, j'ai compris que l'ambition et la renommée ne m'étaient pas nécessaires ni pour m'accomplir ni pour être heureux. Depuis lors, j'ai assumé ce que j'étais, c'est-à-dire un homme de devoir et un homme conservateur. Tu seras peut-être surprise de ce deuxième qualificatif, mais oui, je me considère comme un conservateur. Non pas que je sois partisan du conservatisme, donc hostile à tout changement, mais je suis un homme qui veut transmettre les valeurs et les œuvres de la civilisation française et ainsi contribuer à leur conservation.

Sans vouloir te faire la morale, disons que j'ai été attristé quand j'ai appris tes malheurs récents. Pourquoi ? Je crois que tu as oublié ce qu'est la vie rêvée pour toi. À moins que cette conviction ne t'habite plus. Je ne peux répondre à ta place, mais je suis assuré que tu n'éviteras pas cette question, tout simplement parce que tu auras des décisions à prendre et que je sais que c'est la profondeur des choses qui t'intéresse.

Maintenant, passons à l'avenir. Je suis en fin de carrière, puisqu'à soixante-dix ans on doit inévitablement prendre sa retraite. Pour les douze prochains mois, l'université m'a confié un mandat spécial et délicat qui me gardera à l'île de la Réunion jusqu'à ma prise de retraite. Je suis très honoré parce qu'on me fait confiance jusqu'à la fin.

Quand tu liras cette lettre, je serai déjà parti pour accomplir cette mission chez les Réunionnais. Et je n'en reviendrai pas. Je finirai donc mes jours en ayant un œil sur l'océan Indien et une pensée sur l'océan Atlantique. Y a-t-il une plus belle fin de vie que celle vécue dans une quiétude océane ? Non, c'est impossible puisque, pour moi, c'est cela le bonheur même.

Avant de quitter Lyon, j'ai décidé de te léguer la petite maison au hamac jaune. Pour que tu n'aies pas d'ennuis fiscaux, tu en seras propriétaire uniquement à mon décès. D'ici là, tu en as l'usufruit. J'ai signé les papiers conséquents à cette décision. Brigitte, ma charmante voisine, te les donnera quand tu le souhaiteras. De plus, elle te remettra une somme d'argent qui correspond à douze mois de frais pour la propriété. Cela te permettra de réorienter ta vie dans une certaine tranquillité d'esprit que l'insécurité financière n'entravera pas. Dès maintenant, tous les biens actuellement sur la propriété sont à toi. La semaine dernière, j'ai rapporté ce que je voulais conserver.

Comme mon épouse est décédée et que je n'ai pas d'enfants, je crois que cette maison revient à ma fille adoptive. C'est ainsi que je te perçois depuis notre première rencontre. Je me suis souvent dit que si j'avais eu une fille, j'aurais aimé qu'elle ait ta personnalité.

Pour terminer, je te demande une faveur. Installe à l'entrée de la propriété une enseigne sur laquelle tu feras sculpter le numéro civique ainsi que le texte suivant : La petite maison au hamac jaune. Je ferai de même à l'entrée du bungalow que j'habiterai sur les rives de la rivière d'Abord. De plus, dès mon arrivée dans l'île, je ferai l'acquisition d'un hamac et je l'installerai moi-même. Ainsi, cela perpétuera la tradition créée par mon père qui a toujours installé un hamac jaune devant toutes ses propriétés. Cette demande n'est pas enfantine de ma part, puisque c'est mon père qui m'a donné la maison que je te donne. Je crois que c'est dans ce genre de petits détails que la continuité de la vie se bâtit.

Dès que je serai installé, je te communiquerai mes coordonnées. J'aimerais que nous restions en contact par Internet sans pour autant nous créer mutuellement des obligations. Le service est encore disponible sur ton ordinateur. Le nom de l'usager et le mot de passe sont écrits au début du chapitre « L'offrande de miel » dans le livre de Nietzsche, *Ainsi parla Zarathoustra.* Je les ai surlignés en gris.

Merci de m'avoir donné l'occasion de te rencontrer par un jour où je commençais à être cynique à l'égard de la vie.

Affectueusement, inconditionnellement
et pour toujours,

Bertrand. »

Vraiment, Josette ne s'attendait pas à ce message d'amour. Quinze minutes plus tôt, elle se croyait seule au monde. Le message la bouleverse. Des sentiments contradictoires l'envahissent, qui vont de la joie à la culpabilité en passant par la tristesse.

« Il faut que je contacte Bertrand. » Fébrilement, elle cherche Zarathoustra dans la bibliothèque de quelques milliers de livres. Rien à Z. Rien à N. Elle cherche dans une pile de livres non classés. Rien. « Mais voyons, Bertrand est un homme d'ordre », se dit-elle. « Quelle est la logique de son classement ? L'ordre alphabétique, c'est évident », ajoute-t-elle. *Ainsi parla...* donc la lettre A. Évidemment, elle trouve le livre. « L'offrande du miel », page 371 et page 377 ; les mots miel et horizons sont surlignés en gris, alors que tout le reste est en rouge, voilà le nom d'usager et le mot de passe.

Ouverture d'Outlook. Aucun message. Déception.

« Je vais chez Brigitte », se dit Josette. Elle prend son manteau, referme la porte et se met en route. Après une centaine de pas, elle ralentit puis s'arrête. Elle croit que Bertrand aimerait mieux qu'elle attende un signe de lui.

Josette revient à la maison. Elle s'installe dans le meilleur fauteuil du salon et elle reprend le Zarathoustra pour lire tout ce que Bertrand a surligné.

Avant de se coucher, Josette décide d'ajouter une activité à sa routine relativement simple. Tous les jours, au réveil et en fin de soirée, elle vérifiera ses messages sur Internet. Elle a tellement hâte d'entrer en contact avec Bertrand.

Pour la première fois depuis plusieurs mois, Josette se sent en projet. En prenant son premier café, elle réalise différents croquis de cette enseigne qu'elle compte créer elle-même. Il n'est pas question qu'elle la commande à quelqu'un, même s'il s'agissait du meilleur artiste de la planète. « Je ne connais rien ni à la sculpture ni à la menuiserie, mais j'apprendrai », se dit-elle en se fixant un délai d'un mois pour réaliser le projet.

Tout l'avant-midi, elle fouille dans Internet pour s'informer sur les techniques de travail, sur les outils nécessaires ainsi que sur la qualité et les propriétés des différents bois. Elle note tout ce qui semble pertinent à la sculpture sur bois. Elle comprend qu'on peut sculpter en ronde bosse ou en relief. Elle améliore ses croquis en les comparant à des exemples qu'elle trouve sur les sites de certains commerçants de bois. Elle téléphone à des marchands spécialisés de Biarritz afin de connaître les prix des bois et des outils. Elle en profite pour expliquer son projet afin de s'assurer qu'elle aura le matériel adéquat. Finalement, elle passe une commande qui lui sera livrée d'ici quelques jours moyennant paiement à la réception. En tenant compte de son inexpérience, le marchand lui suggère d'acheter, en plus de son morceau de pin, quelques pièces de bois bon marché afin d'y faire quelques essais avant d'entreprendre son projet principal.

Après le déjeuner, Josette se dirige vers la fermette de Brigitte. « Il est temps de faire connaissance », se dit-elle en montant la pente très accentuée qui mène à la maison. « Quelle vue sur l'océan ! » s'exclame-t-elle en franchisant la barrière de fer forgé sur le devant de la propriété. Assise au pied d'un arbre géant, Brigitte esquisse un large sourire quand elle aperçoit Josette.

Après les salutations d'usage, Josette suit Brigitte vers l'atelier d'Antoine, son conjoint. Elle lui explique que celui-ci travaille le fer ornemental à la manière des vieux maîtres forgerons de la province de Friuli dans les Alpes italiennes. Les présentations sont courtes, car Antoine ne semble pas être un homme de conversation; il préfère de toute évidence poursuivre son travail.

Sur le mur, près de la sortie de ce grand hangar, Josette remarque une photographie sur laquelle on voit l'atelier, mais aussi Antoine, Brigitte et deux jeunes adolescents. En dessous, des mots écrits à la main : « Famille, amour et travail. »

« Pourquoi ai-je pensé que cette femme vivait seule quand je l'ai vue la première fois ? » se demande Josette en suivant Brigitte vers la maison qui ressemble beaucoup aux mas qu'on trouve en Provence.

« Veux-tu un verre de blanc pour saluer notre première rencontre ? C'est une copine qui le fabrique dans l'arrière-pays.

- Oui certainement. Merci. J'ai lu le message de Bertrand seulement hier soir. Je ne sais pas pourquoi, mais je ne pouvais pas le faire avant. Je ressentais un double sentiment : un de malaise d'être chez lui et un de soulagement d'avoir un chez-moi temporaire.
- Je comprends tout ça. Je crois bien que tu as beaucoup de choses à remettre en ordre.
- C'est ça.
- Dans toute cette affaire, je ne suis qu'une intermédiaire. Alors, tu trouveras dans cette première enveloppe tous les documents signés par Bertrand. Tu verras que j'ai agi comme témoin. Tu dois signer les documents qui sont marqués à cet effet et les retourner à l'adresse mentionnée. Je dois te dire que Bertrand ne souhaite pas qu'on parle de donation dans notre entourage. Je ne connais pas ses raisons, mais il nous demande d'être discret.
- Je m'occupe de tout ça dans les prochains jours. Sais-tu si Bertrand est arrivé à La Réunion ?
- Il n'y sera pas avant une quinzaine de jours. Actuellement, il est au Madagascar chez de vieux amis.

- As-tu ses coordonnées ? J'aimerais lui parler.
- Non, il ne m'a rien laissé. Mais puis-je te donner un conseil ?
- Certainement.
- Attends qu'il te contacte lorsqu'il sera à l'île. Bertrand n'est pas un extraverti dans le domaine des sentiments. Il se replie facilement quand il sent de l'intrusion. Alors, il vaut mieux attendre le bon moment. Après la mort de Cécilia, durant plus d'une année, il s'est totalement refermé sur lui-même, ne faisant aucune place à l'expression de sa douleur. Il ne désirait qu'une présence affectueuse de notre part.
- Je comprends et j'ai beaucoup de respect pour lui. Je te promets de ne rien provoquer. Mes besoins passeront après les siens.
- Il appréciera beaucoup. Sois-en assuré, même s'il ne te le dit pas.

Brigitte remplit les deux verres puis elle remet à Josette une seconde enveloppe contenant les sept mille euros pour les frais de propriété.

« Je n'en reviens pas, de la générosité de Bertrand à mon égard. Je dois te dire que ça me dépasse totalement, commente Josette la voix étreinte par l'émotion.

- Il ne faut pas chercher à tout expliquer, lui réplique Brigitte tout en posant sa main sur celle de Josette, mais je pense qu'il croit en toi.

- Et toi, qu'est-ce que tu fais dans la vie? Si tu veux, fais-moi une petite biographie.
- En bref. Bon voyons. Avant tout, je suis la mère de deux adolescents, un garçon et une fille. Antoine, mon conjoint depuis presque vingt ans, crée des œuvres ornementales pour les jardins privés et les lieux publics. Nous sommes toujours très amoureux. Et moi, je suis conseillère en voyage online. C'est un travail de trente-cinq heures par semaine que je réalise le plus souvent à la maison, sauf trois jours par mois où je dois me rendre à Bordeaux afin de participer à un séminaire sur les nouveaux programmes offerts. Contrairement à ce qu'on pense généralement, on ne travaille pas quand on le veut même si on le fait à la maison. Je fais sept jours consécutifs, et ensuite j'ai cinq jours de congé. Le seul inconvénient, c'est que je dois travailler quelques soirs et évidemment le week-end. Dans l'ensemble, j'aime beaucoup. Et ce travail nous permet de mener une vie qui nous plaît même si cela demande une certaine rigueur dans l'organisation quotidienne.
- Je crois que c'est un travail qui me conviendrait en attendant de m'orienter.
- Je ne veux pas te décourager, mais il faut suivre des cours préalables d'une durée d'une année qui conduisent à une certification en tourisme.
- Depuis que je réfléchis à mon avenir et que je m'informe des opportunités, je prends conscience que tout est réglementé. Je croyais qu'il fallait de la volonté et de la chance pour que les portes s'ouvrent. Cela me semble maintenant beaucoup plus compliqué que je ne l'avais prévu. En plus, le chômage est actuellement très élevé.

- Je crois que tu fais le bon constat, lui affirme Brigitte. Je ne dis pas cela pour t'angoisser, mais parce que c'est la réalité. Récemment avec des amies, nous constations qu'il est de plus en plus difficile de se faire une place dans cette société qui contrôle et qui standardise tout. Mais pourquoi ne retournes-tu pas à ton ancien métier ?
- Il y a dix ans, je l'ai quitté par manque d'intérêt. Je ne sais pas si j'y ai encore une place. À plus de quarante ans, il me faut inventer ma vie, repartir à zéro ou à peu près. Et je n'oublie pas qu'après cinquante ans, il est reconnu qu'il est encore plus difficile de se faire une place dans le marché de l'emploi. Alors il me reste un maximum de dix ans pour me bâtir un nouveau présent et un possible avenir. J'attends toujours l'idée géniale qui me permettra de m'y engager. On dit qu'il faut se donner de beaux défis. Peut-être, mais mon expérience des dernières années me montre que je n'aime pas tellement les défis. »

Brigitte sait bien qu'il n'est pas opportun d'entreprendre un débat sur ces questions, car elle sent Josette fragile et inquiète.

« Bon voilà, je te quitte. Merci pour tout. Hier, je me sentais seule au monde. Aujourd'hui, j'ai Bertrand, toi et peut-être Antoine. C'est merveilleux et c'est précieux. À bientôt.

- Tu viens au marché vendredi matin ?
- Oui.
- Alors je te prends chez toi vers huit heures. »

En descendant la petite route vers sa maison, Josette pense que la vie ressemble à une boîte à surprises qui contient heureusement de belles surprises et malheureusement de moins belles aussi. « À quand les moins belles ? » s'interroge-t-elle en se laissant porter par la pente et en accélérant forcément ainsi.

« Quel est le projet le plus important de l'après-midi ? » se demande-t-elle en arrivant quasiment à la course. « C'est celui d'aménager la petite serre afin d'en faire un coin atelier pour mes travaux de sculpture. Alors au travail. »

En début d'après-midi, le lundi suivant, Josette reçoit le matériel commandé la semaine précédente. Le livreur le transporte dans la serre.

« Moi aussi, je suis un boiseux dans mes temps libres, ajoute timidement Martin en se présentant.

- Un quoi ?
- Un boiseux, c'est celui qui marque le bois pour en faire ressortir un objet, une scène ou autre chose. Un boiseux est un amateur qui trouve plaisir à travailler le plus beau matériau qui soit.
- Alors, vous pouvez me donner quelques conseils. Moi, je n'y connais rien, comme je le disais à votre patron.
- J'ai suivi un cours, mais j'ai surtout retenu quelques conseils pratiques d'amis sculpteurs. Des conseils simples, mais utiles. Premièrement, il faut apprendre à reconnaître le fil du bois dans la pièce. Surtout pour le pin qui est un bois qui fait facilement des éclisses. Alors, il est facile de gaspiller une pièce. Et le bois coûte cher. Deuxièmement, il faut faire un croquis très pâle sur la pièce de bois. C'est cela qui guide. Ensuite avec les outils, on commence à dégager le fond autour de ce qui sera en relief ou encore on enlève tout ce qui est de trop si on travaille en trois dimensions. Autrement dit, on enlève le contour et on fignole par la suite. Troisièmement, n'oubliez jamais la règle d'or : l'œil, l'outil et le bois.

Tout doit être en harmonie. Le patron vous envoie une dizaine de pièces de bois moins coûteuses pour vous entraîner.

- Autrement dit, on ne peut pas se tromper quand on fait de la sculpture.
- Il faut toujours garder en tête le produit fini. Vous arriverez à un résultat différent si vous tâtonnez trop. Un jour, pour lui faire un cadeau, je voulais sculpter le cheval de mon voisin et j'ai fini par produire un poisson tellement j'avais enlevé du bois aux mauvais endroits. Ce n'est pas grave quand on sculpte pour le plaisir.
- Moi, j'ai une maison, un hamac et une phrase à inscrire dans cette belle pièce de pin.
- Le hamac ne me semble pas évident. Vous pourriez peut-être le peindre sur le bois sans le sculpter.
- Non, jamais, c'est essentiel à mon projet.
- Évidemment que ça doit pouvoir se faire, mais je ne sais pas comment. Je vous souhaite bonne chance. J'allais oublier l'essentiel. Les ciseaux, c'est très important de ne pas les replacer dans leur boîte tant et aussi longtemps que le travail n'est pas terminé. Après une séance de travail, on les laisse toujours sur l'établi ou quelque part à la traîne. Ce rituel attire l'inspiration, même quand vous n'êtes pas dans l'atelier. Tous les grands sculpteurs sur bois vous le confirmeront. À bientôt. »

Josette le remercie pour ses conseils. « En repassant ici dans quelques semaines, vous verrez mon enseigne près de l'entrée. Et il y aura un hamac gravé dans la pièce », lui affirme-t-elle en le reconduisant. « Alors bienvenue dans l'amicale des boiseux. Et je fais également de la photographie », s'exclame un Martin tout souriant en démarrant le camion de livraison.

Rapidement, elle retourne à la serre. Dans sa tête, elle a déjà scénarisé toutes les étapes qui la conduiront à la réalisation de l'enseigne. « Enfin, je me mets à l'œuvre », se dit-elle en déballant le coffret à ciseaux. Elle y découvre une vingtaine de pièces de différentes tailles et de diverses formes. Dans le couvercle intérieur, chacune des pièces est identifiée et on y indique son utilité : des gouges allant du n° 3 méplate à la gouge creuse n° 10 pour les travaux de base, une gouge coudée afin d'accéder aux zones concaves en restant dans le sens du fil du bois, une autre gouge coudée longue pour travailler dans les zones creuses, des burins à angles différents pour dessiner et graver, le néron utile pour les travaux rectilignes…

« Avec tout cet attirail, je suis loin du ciseau et du marteau de ma jeunesse », pense Josette en installant une petite pièce de bois dans son étau et en se disant qu'elle va expérimenter, un à un, tous les ciseaux. « L'œil, l'outil et le bois », se rappelle-t-elle. En exerçant une bonne pression sur l'outil, elle fend la pièce en deux. « En plus, je n'ai pas fait de croquis sur la pièce », s'exclame-t-elle en installant une pièce plus grande. En souriant, elle dessine un poisson qui ressemble à une carpe toute ronde en se disant que si elle enlève trop de bois, cela ressemblera toujours à un poisson, si petit soit-il. Elle travaille en ronde bosse, même si son enseigne sera en relief. Cela n'a pas d'importance puisqu'elle cherche avant tout à mieux connaître les outils à sa disposition.

Josette est méthodique. Elle expérimente l'outil sur la pièce brisée et, ensuite, elle l'utilise sur le poisson s'il est approprié à une étape de travail. Elle prend conscience que la sculpture demande une concentration étonnante et un recueillement quasi monastique.

La carpe émerge progressivement de la pièce de bois. Elle est maintenant ovale et plate plutôt que ronde et épaisse et ses écailles sont quasiment lisses. « C'est une carpe mutante », affirme Josette en appuyant fièrement sa sculpture sur le mur au fond de son établi comme pour l'admirer avec une certaine distance.

Avant de quitter l'atelier, elle balaye et elle range les pièces de bois ainsi que les outils.

Depuis une semaine, en alignant pêle-mêle dans son cahier des détails quotidiens et des idées, Josette se sent comme une adolescente qui tient un journal personnel. Elle tourne de plus en plus en rond avec ce projet d'écrire son cheminement.

Mais ce soir-là, le ton de l'écriture change lorsque Josette rédige le bilan de sa journée.

« Tout l'après-midi, j'ai fait mes premiers pas en sculpture et j'ai pensé à ma mère toute la soirée. Dans les deux situations, j'ai appris plusieurs choses sur moi-même. J'ai eu le sentiment de progresser dans mes actions et dans mes réflexions.

« Je me suis totalement dédiée à ce projet d'enseigne même si j'en suis à mes premiers balbutiements. Je l'ai fait avec insouciance et gratuité. J'ai rarement connu une telle situation, moi qui suis de la génération qu'on a convaincue de poursuivre sans cesse des objectifs de plus en plus ambitieux. Je suis de la génération qui doit toujours performer afin de se faire une place. On nous a enseigné que les attitudes positives produisaient les gagnants. On nous a enseigné que la vie est une lutte pour les meilleures places. On nous a répété avec acharnement que la rentabilité et la compétitivité des entreprises assureraient une vie meilleure à tous.

« Comment inscrit-on de telles bêtises dans la pensée de gens intelligents ? Je me le demande souvent. Elles doivent s'infiltrer dans le cerveau à la manière d'un virus.

Il y a une dizaine d'années, dans tout ce contexte, j'ai fondé une petite entreprise de développement d'outils multimédias. Étant très attirée par les nouvelles technologies et ayant des compétences en informatique, j'ai fait le saut parce que j'avais la conviction d'être suffisamment imaginative pour créer de nouvelles façons de faire. Aussi, je m'étais persuadé que chaque matin serait une surprise puisque ce domaine était suffisamment en effervescence pour que les imprévus gouvernent la journée. J'avais le sentiment de dire adieu à la routine.

« Je n'avais cependant pas prévu que je serais entraînée dans une effervescence mégalomaniaque s'approchant du délire. « La nouvelle reine du multimédia », titrait-on dans un journal un certain matin de février 2000. Des banquiers, des gens d'affaires et même des hommes politiques me présentent comme un modèle pour les jeunes d'aujourd'hui. Mettant tous leurs espoirs en moi et me considérant comme leur figure de proue, ils m'ont presque canonisée jusqu'au moment de l'éclatement de la bulle technologique.

« Sainte à une époque, démone un peu plus tard. Entourée et courtisée un jour, rejetée et isolée dès que je suis devenue sans intérêt. Je ne sais même pas s'il est utile de tirer des leçons d'une telle aventure. À une certaine époque de mon ascension, j'ai nettement eu l'impression de devenir l'objet des autres parce que je ne me reconnaissais plus dans ce que je vivais au quotidien.

« Pour le moment, je retiens seulement que toutes les tensions et toutes les angoisses vécues au cours des dix dernières années ne valent pas cet instant de bonheur que j'ai connu cet après-midi en sculptant une carpe.

« Avec sa vision grise de l'existence, mon père me dirait que ce n'est pas cela la vie, que le bonheur est éphémère, que les difficultés forment le caractère. Je réentends le discours qu'il martèle à ses enfants depuis des décennies. Il doit certainement tenir le même avec ses petits-enfants. Je dois tout de même reconnaître qu'il est un homme constant.

Ce soir, ma mère occupe aussi mes pensées. Au cours des dernières années de sa vie, je l'ai négligée parce que j'étais occupée à mener cette vie frénétique qui m'a considérablement éloignée d'elle.

« Cet après-midi, j'ai eu l'impression qu'elle était là, assise tout près de moi à observer mon travail. J'aurais aimé qu'elle réagisse à ma démarche comme elle le faisait quand j'étais une petite fille. J'ai toujours eu besoin de l'opinion de ma mère, rarement de celle de mon père. Certains psychologues y verraient une dépendance affective, mais moi, j'y vois tout simplement une source de motivation ou plutôt une source d'orientation. Je sais qu'elle trouverait le mot juste pour me réconforter, qu'elle m'inspirerait de sa philosophie simple mais tellement efficace.

« Colette me manque tant depuis qu'elle est partie pour nulle part, comme elle le disait elle-même quelques heures avant son décès. Elle enrageait mon père quand elle affirmait cela sur un ton lapidaire qui n'invitait pas à la discussion. C'est vrai qu'elle ne faisait pas tellement dans la nuance. Pas plus que mon père d'ailleurs. Disons qu'ils n'ont pas inventé la communication conjugale, ces deux-là. Et pourtant, je n'ai jamais pensé qu'ils avaient eu une vie malheureuse ensemble. »

En se mettant au lit, Josette sait qu'elle dormira bien ce soir, tout simplement parce qu'elle est fière de sa journée.

Tout à coup, elle se lève d'un seul mouvement.

Elle dévale l'escalier et elle sort de la maison. Elle allume la lampe qui éclaire la cour arrière. D'un bon pas, elle se dirige vers la serre. Elle y pénètre. Elle prend la boîte de couteaux. Elle l'ouvre et elle les jette à la traîne sur l'établi. Elle rentre paisiblement à la maison.

En se recouchant, Josette éclate d'un grand rire. « Il y a moins d'un mois, j'aurais considéré que le conseil de Martin était une sornette », se dit-elle en se rappelant le sérieux de ce dernier quand il lui a recommandé de favoriser ainsi l'inspiration.

Avant de s'endormir, Josette pense toujours à Bertrand. Elle imagine sa petite maison, la rivière, l'océan et son hamac jaune.

Le lendemain matin, elle se remet au travail dès qu'elle a vérifié son courrier électronique. Toujours rien de ce côté-là.

Elle travaillera à ce projet toute la semaine et recommencera plusieurs fois car elle sera toujours incapable de sculpter le fameux hamac.

Un soir, elle décide d'aller consulter Antoine. N'est-il pas lui-même, non pas un boiseux mais un sculpteur de métal ? Ses conseils pourraient être précieux, pense-t-elle.

Malgré l'heure tardive, Antoine est encore dans son atelier. Josette sent qu'il est très songeur. Elle le tire de cet état d'absence. Elle apprend que Brigitte est à Bordeaux pour une formation tandis que leur fille Mélanie est chez une amie. Jasmin, son fils qui aura dix-sept ans le mois prochain, vient de le quitter après une longue discussion. Ce soir, Antoine est bouleversé car il prend conscience que son fils s'engage sur une pente glissante qui risque d'hypothéquer son avenir.

Élève talentueux, Jasmin affirme vouloir quitter la France dès la fin de la présente année scolaire pour travailler comme jeune coopérant dans une mission de solidarité au Honduras. Il pourra aussi suivre quelques cours académiques. Cette annonce surprend Antoine qui ne trouve rien de mieux que de lui débiter des phrases tout faites.

Pour la première fois, le ton a monté entre le père et le fils. Antoine s'attriste de cet événement puisque cela lui rappelle les moments pénibles de ses relations avec son propre père au cours de son adolescence. En le quittant, avec une certaine colère, Jasmin a rappelé à son père que lui-même avait un parcours peu orthodoxe. N'est-il pas heureux et responsable pour autant ?

Vlan ! Jasmin a déséquilibré son père.

« Je m'excuse de te raconter tout ça, mais je suis franchement déboussolé. On ne sait jamais ce qui trotte réellement dans la tête d'un enfant. Récemment, je disais à Brigitte que Jasmin a le profil d'une personne empruntant un tracé conventionnel qui le conduira harmonieusement à l'âge adulte. Tout serait donc relativement simple pour lui puisqu'il est déjà bien intégré. Brigitte et moi, nous craignions surtout pour Mélanie, qui a un tempérament beaucoup plus rebelle et plus instinctif. »

Josette lui fait remarquer qu'elle serait probablement une très mauvaise conseillère puisqu'elle n'a pas d'enfant et qu'elle vit présentement la période la plus trouble de son existence.

« Je ne savais pas. Je ne veux pas t'embêter davantage. Je vais mijoter tout ça jusqu'au retour de Brigitte. Alors, je vais aller voir Jasmin tout à l'heure. Je ne veux pas terminer cette journée sur cet affrontement. Je me sens trop mal. »

Josette expose son problème de boiseux à Antoine.

« Rien ne t'oblige à sculpter sur bois ce hamac, mais je

comprends bien que tu ne veuilles pas le graver dans la pièce. Cela enlèverait toute la perspective. Tu peux cependant le sculpter en métal et par la suite le visser sur le haut ou sur le côté de ta pièce de bois en le peignant en jaune étincelant. Tout sera alors une question de proportion. Viens me voir demain après-midi. Je t'expliquerai davantage. Apporte ta pièce de bois et ton croquis. »

« Chère Josette, je suis maintenant installé dans l'île à proximité de Saint-Pierre. Évidemment, je ne suis pas dépaysé puisque c'est aussi la France ici, même si deux cultures cohabitent. C'est agréablement surprenant. Une seule vraie nouveauté pour moi : la présence d'un massif volcanique qui est toujours actif. Ici la population s'intéresse comme ailleurs à la température, mais aussi à l'activité volcanique. Moi-même, par précaution, tous les matins, via Internet, j'ai déjà pris l'habitude de vérifier l'état de situation.

« Je consacre l'essentiel de mes journées à mon travail. Je constate que je dois résoudre une situation plus conflictuelle que je ne le croyais. C'est délicat, mais j'ai tous les pouvoirs requis pour améliorer les choses.

« J'espère que tu vas bien et que tu t'inventeras une vie confortable dans cette maison que j'ai tant aimée.

« Donne-moi de tes nouvelles quand tu en auras le temps puisque tu as maintenant mes coordonnées.

« Bertrand »

« Plusieurs semaines d'attente pour un message qui parle de la pluie et du beau temps », se dit Josette en terminant la lecture du courrier de Bertrand. Les larmes lui montent aux yeux. « Pas un seul mot sur notre projet d'affiche », pense-t-elle en se retenant pour ne pas éclater en sanglots, pour ne pas crier sa déception. À ce moment, elle prend conscience de la grande fragilité qu'elle cache sous une certaine forme d'activisme depuis son arrivée sur la côte atlantique.

Elle se sent injuste envers Bertrand qui, pourtant, ne lui a rien promis. Elle le sait, mais elle s'attendait à autre chose.

Josette ne veut pas rester sur cette impression d'abandon. Elle s'assoit dans le fauteuil à côté de la petite table ronde du salon. Avec attention, très lentement et à haute voix, elle relit plusieurs fois le premier message de Bertrand dans lequel il lui annonce qu'elle devient propriétaire de sa maison.

En réfléchissant à ce message de Bertrand, Josette sait maintenant que cette communication contient tout ce qu'il avait à lui dire. Avec Bertrand, comme l'a prévenue Brigitte, elle ne doit donc pas s'attendre à un échange soutenu sur son cheminement personnel. En fait, il ne se reconnaît ni le droit, ni le devoir, ni la compétence d'intervenir en ces matières. Au cours de ses séminaires et de ses conférences, il le rappelait souvent. Elle sait aussi qu'il n'est pas à l'aise avec ses propres émotions, probablement aussi avec celles des autres, ce qui ne l'empêche pas d'avoir une sensibilité extrême.

Plusieurs fois, Josette lit deux phrases de ce message : « Vers la fin de cette rencontre campagnarde, je vous avais demandé d'exprimer sommairement quelle était votre conception de la vie rêvée. Sur un ton grave, avec conviction, tu avais alors affirmé que tu aspirais à une vie dans laquelle il n'y aurait rien de trop. »

« Mais où avais-je pris ça? se demande Josette en mettant la lettre de côté. Que serais-je devenue si j'avais eu une vie dans laquelle il n'y avait rien eu de trop ? Serais-je encore orthophoniste ? Aurais-je fondé cette compagnie qui m'a menée à l'humiliation et à la ruine ? Mais si j'avais réussi, serais-je pour autant en paix avec moi-même ? Ne dit-on pas que la réussite a un prix ? Aurais-je été capable de nommer et de refuser ce qui n'est pas nécessaire à mon idée du bonheur ? Qu'est-ce que j'ai vraiment choisi au cours des vingt dernières années ? »

Volontairement, elle choisit de ne pas répondre tout de suite à Bertrand. Elle le fera dès que l'affiche sera terminée. Alors elle demandera à Martin de la photographier et elle la fera parvenir par Internet à Bertrand.

Dès le lendemain, Josette se présente à l'atelier d'Antoine. Il l'accueille avec un large sourire. Elle a en main son affiche qui est complète à l'exception du fameux hamac. En véritable maître, le sculpteur de fer ornemental initie son apprentie aux techniques de réchauffement et de pliage d'une tige fine et d'une feuille mince en métal. « Toujours plier moins que trop », lui rappelle-t-il lorsqu'elle expérimente les techniques de base avant de procéder à la version finale d'un hamac joliment stylisé.

« J'aime bien cet homme qui va à l'essentiel et qui semble allergique au verbiage », se dit Josette en revenant chez elle, vers la fin de l'après-midi, avec une affiche terminée. Le hamac est même peint et prêt à visser. En arrivant à son atelier, elle prend le matériel nécessaire à l'installation : deux poteaux déjà sculptés, des petites chaînes noires pour tenir l'affiche elle-même. Depuis quelques jours, elle a déterminé l'emplacement et les deux trous sont creusés. En un rien de temps, l'affiche est en place tandis qu'elle dispose tout près de celle-ci deux gros pots destinés à recevoir des hémérocalles roses et blancs. Immédiatement, elle procède à la plantation des fleurs.

En se plaçant dans différents angles, Josette regarde son œuvre accomplie. Elle a le sentiment d'être vraiment chez elle depuis qu'elle y a ajouté une petite touche personnelle. Depuis que Bertrand lui a demandé de procéder à cette installation, elle a remarqué que plusieurs propriétés de la région possèdent de telles affiches.

Josette téléphone à Martin, qui est justement disponible pour le repas et pour la séance de photographie. En l'attendant, elle met une bouteille de rosé au frais. Elle peut maintenant prendre place dans le hamac, chose qu'elle s'est abstenue de faire au cours du dernier mois. Elle le place de manière à voir l'affiche qui, elle-même, est proche de la route parallèle à l'océan. « Tout un tableau ! » s'exclame-t-elle.

À son arrivée, Martin est en verve : « Ah, c'est beau ! Quasiment un chef-d'œuvre ! J'immortalise cet événement. D'accord ? J'ai ma caméra numérique. On regardera les photos sur votre ordinateur. Habituellement, je fais du noir et blanc avec une vieille caméra. Vous savez, je suis un admirateur du grand Henri Cartier-Bresson. Pour lui, photographier, c'est mettre sur la même ligne de mire la tête, l'œil et le cœur. Photographier n'a rien à voir avec les artifices et les techniques sophistiquées. J'ai suivi des cours avec l'un de ses disciples, si je puis dire. Je ne prétends pas être un bon photographe. Je n'excelle en rien, mais je m'intéresse à beaucoup de choses. Je fabrique même des mouches pour pêcher. Vous verrez. »

Josette se laisse photographier par Martin près de l'affiche. Le photographe la surveille sans lui donner de consigne. Il se promène autour d'elle. Tout à coup, Josette entend un clic. « Voilà, c'est fait! » se dit-elle. Mais non. Comme dans une danse, Martin continue à observer Josette. Clic, clic, clic… Il s'assoit sur la pelouse. Immobile, il scrute tous les mouvements de Josette et soudain clic, clic, clic, clic…

Un dîner merveilleux suit, un peu sur le ton de la confidence. Avec Martin, Josette découvre les joies de la simplicité, celle des petits bonheurs ordinaires.

Au cours des mois qui suivent, Josette maintient cette routine qu'elle s'impose depuis son arrivée dans la petite maison au hamac jaune. Elle y ajoute plusieurs autres activités, mais elle est déçue de ses réalisations en sculpture, elle qui croyait vraiment y avoir découvert une nouvelle passion. Depuis que son projet d'affiche est terminé, elle a l'impression de sculpter sans but. Faire pour faire ne la stimule pas. Tout de même, elle continue en se disant qu'elle perfectionne les techniques. Elle voit de moins en moins Brigitte et Antoine, la première étant fort occupée par son travail avec l'approche des vacances d'été, tandis que le second se déplace fréquemment pour exhiber ses réalisations dans les foires commerciales très nombreuses au cours de cette saison. Josette revoit irrégulièrement Martin. Toutes les semaines, elle écrit à Bertrand qui lui répond une fois sur trois puisqu'il voyage beaucoup sur l'île afin de réaliser son mandat dans le délai prescrit.

Comme l'argent ne rentre pas depuis son départ d'Antibes, le capital remis par Bertrand fond mois après mois. Elle a beau faire des démarches pour se trouver un emploi, rien n'aboutit. Elle se demande même si son récent passé n'est pas un handicap majeur dans cette recherche d'emploi. Ayant encore un droit de pratique en orthophonie, elle se résigne et accepte un mandat à durée limitée dans un cabinet privé. Sa patronne est claire : Josette devra intervenir selon les méthodes de cette dernière. Avec son plus beau sourire, Josette accepte de se conformer à ces directives. Pour la première fois de sa vie, elle travaillera sous la tutelle de quelqu'un d'autre. « Il fallait bien que ça arrive un jour », explique-t-elle à Martin qui la ramène chez elle après cette entrevue. « Au plaisir de vous transporter vers Biarritz tous les jours, chère madame », dit Martin en la déposant près du hamac jaune et en confirmant ainsi leur arrangement.

Au cours des trois mois suivants, soit jusqu'à la Noël, une nouvelle routine remplace l'autre puisqu'elle a un horaire fixe dans ce cabinet. Ni heureuse ni malheureuse, Josette assume ce changement et s'habitue à sa nouvelle vie. Plusieurs fois par semaine, sur la route du retour, Josette livre ses pensées et ses souvenirs à Martin qui écoute tout simplement sans solliciter plus que ce qu'elle lui livre. Pour sa part, Martin lui parle de ses projets en photographie et en sculpture, de son travail de livreur qu'il aime surtout parce qu'il rencontre beaucoup de gens intéressants ainsi que des disques qu'il achète. Actuellement il écoute sans cesse l'album live de la dernière tournée de Goldman : « Je te le prête. Je sais que tu l'aimes, mais les nouvelles versions d'anciennes chansons sont nettement supérieures aux enregistrements que tu as. Écoute bien Veiller tard. C'est inspirant. »

« Ferme les yeux et écoute », lui dit-il en plaçant le disque dans son lecteur et en montant le son. Josette connaît bien ce texte, mais les nouveaux arrangements musicaux lui donnent une nouvelle profondeur. « Remets-le », insiste Josette après une première audition. « Je place cette chanson en boucle et tu me dis quand je dois l'arrêter », lui réplique-t-il.

« Ces larmes si paisibles qui coulent inexpliquées
Ces ambitions passées mais auxquelles on repense
Comme un vieux coffre plein de vieux jouets cassés
Ces liens que l'on sécrète et qui joignent les êtres
Ces désirs évadés qui nous feront aimer
Ces raisons-là qui font que nos raisons sont vaines
Ces choses au fond de nous qui nous font veiller tard »[9]

Pour la première fois depuis plus d'une année, Josette parle à un membre de sa famille. Sa jeune sœur Amélie l'invite à un dîner familial le 31 décembre dans leur village natal de Treffort, le village aux sept fontaines. Elle hésite mais promet de lui donner une réponse au cours de la même semaine. Dès le lendemain, elle prend sa décision : « Je serai présente, mais je ne resterai pas plus de deux jours car je suis fort occupée ces temps-ci. »

Finalement, elle y sera quinze jours. Elle renoue avec des personnages de son enfance qui sont maintenant dans la soixantaine avancée, sinon plus, mais ils sont tous trois actifs : madame Nana la boulangère, monsieur François le magnétiseur, monsieur Marcel l'illustre philosophe et pomiculteur à ses heures… Elle se présente chez eux et ils la reconnaissent. Elle est attristée quand monsieur Marcel, les larmes aux yeux, lui apprend la mort de sa conjointe qui a été son professeur de français. « Savez-vous, Josette, que j'ai connu ma femme quand elle était mon professeur de français ? Nous avons cela en commun, vous et moi », lui dit-il, les sanglots dans la voix, tout en l'étreignant… « Je vous souhaite un amour aussi grand que le nôtre », lui dit-il en la reconduisant au bas du petit verger. Avec quelques anciennes amies, elles se rappellent leurs premières amours, se demandant ce qu'il est advenu de ces copains. Avec ses frères et sœurs se déclinent les bons souvenirs et évidemment les mauvais coups cachés depuis toujours aux parents. Affectueusement, en mettant des fleurs dans son coin préféré, ils ont ensemble une pensée pour leur mère Colette, « cette femme spéciale ».

Josette craignait cette rencontre avec monsieur son père. Elle retrouve un homme vieilli qui prend l'échec de sa fille comme une défaite personnelle. Il ne lui fait aucun reproche, mais elle sait bien qu'il se culpabilise facilement. Cela a toujours été ainsi. Mais il n'insiste pas pour discuter de tous ces événements car il préfère savoir comment elle se débrouille avec sa nouvelle maison et sa nouvelle vie. Face à toutes ses interrogations, même s'il semble apaisé, Josette est sur la retenue ; elle sait que son père est aussi un homme tranchant et catégorique qui peut blesser et faire souffrir par ses propos.

Adolescente, elle trouvait tous les prétextes possibles afin de quitter la maison dès que son père y entrait. Au cours de cette visite, elle s'est sentie à l'aise avec lui. Elle en est fort étonnée.

Sur le pas de la porte, en quittant la maison familiale, Josette sent bien que son père veut lui dire quelque chose.

« Qu'est-ce qu'il y a, papa ?

- Merci d'être venue. Vraiment, j'ai passé de belles journées.
- Moi aussi. Grâce à toi, à mes frères et sœurs aussi, j'ai vécu de belles retrouvailles.
- Puis-je aller te voir l'été prochain ? Pour quelques jours.
- Je t'attends. Viens donc avec monsieur Marcel. Je l'aime bien, ce philosophe.
- On le dit très malheureux. Une rumeur veut qu'il soit en train d'écrire un livre sur sa femme.
- À bientôt donc. »

Josette profite du fait qu'Amélie doit se rendre à Lyon. Elle y prend ensuite le train pour Biarritz via Bordeaux. Martin l'attend avec une gigantesque photographie d'elle prise lors de l'inauguration de l'affiche en bordure de la route.

En rentrant à la maison, elle trouve plusieurs messages électroniques de Bertrand lui souhaitant une fructueuse année. « Es-tu là ? » lui écrit-il avec insistance dans son dernier message datant de la fin de l'après-midi. « Au diable l'économie par les emails, je lui téléphone », décide-t-elle en cherchant le numéro dans d'anciens messages.

De part et d'autre, c'est l'explosion de joie quand Bertrand décroche son téléphone.

Un an plus tôt, dans une angoisse épouvantable, Josette vivait le Nouvel An terrée dans l'appartement d'Antibes en attendant la suite des choses.

Aujourd'hui, elle se sent entourée. Elle sait qu'elle a besoin de cela afin de progresser.

« Dans moins de douze mois, j'aurai trouvé ma voie. J'en prends l'engagement », écrit-elle en caractères rouge vif dans son journal.

« Cher Claude,

Ce soir, en reprenant l'écriture de mon journal, votre souvenir m'accompagne. Jusqu'à récemment, j'avais encore les enregistrements de vos deux conférences de Cannes. Pour des raisons trop longues à expliquer ici, ces cassettes sont disparues lors d'un grand dérangement. Au cours des derniers mois, j'ai beaucoup fréquenté Internet à la recherche de ressources. Un site en psychologie annonçait votre chronique hebdomadaire. J'ai cliqué sur le lien et me voilà chez vous. Étonnant tout de même. C'était en décembre dernier. Depuis, je vous suis semaine après semaine. Ça tombe à point dans ma vie. Je voulais donc tout simplement vous dire que je suis là et que je communiquerai de nouveau avec vous si vous m'en donnez l'autorisation. Mon histoire et surtout mes préoccupations actuelles pourraient vous intéresser et échanger avec vous m'aiderait sûrement. Je suis prête à vous la raconter. »

Évidemment, je donne suite au courrier de Josette.

Deuxième partie

6

Comment une personne devient-elle ce qu'elle n'est pas ?

Chacun à un moment ou à un autre de la vie, tout comme Josette, peut avoir le sentiment qu'il n'est pas devenu ce qu'il aurait voulu. Cette prise de conscience naît à la suite d'un ou de plusieurs échecs, d'erreurs, de déceptions, d'insatisfactions, d'inquiétudes, d'incertitudes ou d'ambiguïtés. Tous ces déclencheurs n'expriment pas la même urgence et ils ne se présentent pas de la même façon à chacun. Mais ils peuvent avoir des effets dévastateurs quand ils se lient, provoquant alors une profonde remise en question qui se rapproche de la détresse.

À la lumière de ces constats, revenons au cas de Josette présenté dans la première partie de cet ouvrage. Elle admet qu'avant la fermeture de son entreprise, elle a souvent ressenti de la lassitude et de l'anxiété. De la lassitude parce qu'elle en avait assez de se battre sans cesse avec des personnes qui l'avaient adulée, mais qui agissaient maintenant comme de véritables ennemis sans compassion ni mémoire ni compréhension. Elle se rappelle cette époque comme celle d'une véritable guerre de tranchées se traduisant par la règle des petits gains quotidiens que l'on remporte contre l'ennemi tout en sachant n'être qu'en sursis : « Un pas en avant une journée, deux pas en arrière le lendemain et trois pas en avant quelques jours plus tard, jusqu'au moment où l'ennemi passe à l'assaut final. Alors il t'écrase vraiment puisqu'il a, depuis le début de la dégringolade, toutes les cartes maîtresses dans son jeu. » De l'anxiété parce que Josette ne se reconnaissait plus dans cette situation : « Je me battais pour quelque chose à quoi je ne tenais plus depuis plusieurs mois, même si je m'étais promis de batailler jusqu'au bout. Un soir, après une journée où j'avais réussi à obtenir quelques gains significatifs de mes créanciers, j'ai songé au moment où je reprendrais le contrôle de mon business. Allais-je vivre encore dix ans cette vie-là? me suis-je alors dit, car je savais qu'une nouvelle guerre commencerait dès que j'aurais le feu vert pour poursuivre les opérations. On me contrôlerait en me soumettant à des règles et à des autorisations. On m'imposerait alors une quasi-tutelle. Au lieu de me réjouir de cette éventualité qui me permettrait de poursuivre mon aventure dans le monde des affaires, j'ai éclaté en sanglots tout en sentant comme une sourde colère monter en moi. Malgré le grand déséquilibre que je vivais à ce moment de ma vie, je savais très bien que je ne survivrais pas à ce basculement. Et pourtant, j'ai continué la bataille encore quelques mois en épuisant tous les recours disponibles. »

Dans ce témoignage, Josette indique son malaise à l'égard des valeurs guerrières et son attachement à un minimum d'indépendance quand on ne peut obtenir davantage. Mais en même temps, elle voulait sortir de ce pétrin avec honneur, dans le sens guerrier du terme, tout en sachant qu'elle renonçait ainsi à l'une de ses valeurs essentielles, l'indépendance personnelle. Voilà une situation inconfortable, pour ne pas dire paradoxale, qui présage des lendemains difficiles.

Voici le point de vue de Josette sur l'aboutissement de cette situation : « Heureusement, le juge a décrété une liquidation judiciaire afin de régler l'imbroglio financier. Oui, j'ai été humiliée, mais aujourd'hui je sais que cela a été une bonne décision pour moi, même si on me l'a imposée. Il me semble que sinon je me serais enfoncée dans une longue période d'infidélité envers moi-même. Ceci étant dit, douze mois plus tard, je ne sais pas plus où je m'en vais, même si je me suis fait la promesse de m'orienter au cours de la prochaine année. Au moment de vous écrire ces lignes, j'ai conscience qu'il y a plus de trente mois que je suis dans un état d'instabilité et de précarité, lequel est supportable depuis quelque temps grâce à la générosité de Bertrand. »

Dans notre société hypermoderne, comme la qualifient les nouveaux sociologues, je prétends depuis le début des années 1990 que l'infidélité de soi à soi est en croissance[10]. Autrement dit, la fidélité de soi à soi est lourdement hypothéquée par les attentes sociales de plus en plus grandes et de plus en plus contradictoires. Partout, on insiste pour que l'individu réalise ce qu'on attend de lui et soit responsable, raisonnable, dédié, rapide, efficace, performant, compétitif, transparent, loyal, autonome, respectueux des règles et des normes propres aux organisations dans lesquelles il œuvre et en restant attentif à son propre accomplissement et au bien commun. Tout un programme! En découleraient des « pathologies de la surchauffe » où les individus « pètent les plombs » et sont sujets à des phénomènes de « corrosion du caractère » et de dépossession du sens des activités qui les sollicitent en permanence. Soyons rassurés, des psychologues s'intéressent à ce nouvel individu hypermoderne et cherchent de nouvelles stratégies qui lui permettront de s'adapter à cet environnement. N'est-ce pas sécurisant ?

Mais mon point de vue est un peu différent, puisque je pense qu'il ne s'agit pas de s'adapter à un environnement hostile, mais bien de le changer ou d'en changer. Pourquoi sont-ce toujours les personnes qui doivent se mouler et se conformer à des valeurs qui ne leur conviennent pas ? L'obéissance aux injonctions contradictoires fera perdre à chacun ses derniers repères et accentuera ainsi la détresse axiologique.

Tout ce contexte contribue à faire qu'une personne devient ce qu'elle n'est pas.

A. Quelles sont les stratégies qui font qu'on devient ce qu'on n'est pas ?

1. La personne ne place pas la fidélité de soi à soi parmi les plus hautes valeurs.
2. La personne s'expose à des valeurs anxiogènes, valeurs qui la rendent mal à l'aise, qui ne sont pas des préférences pour elle, qui minent sa propre cohérence, donc la fidélité de soi à soi. Il est bien connu que la personne « moderne » veut tout, d'où souvent cette incapacité à discerner et à nommer ses véritables préférences dans le marché actuel des valeurs, qui en compte plus de cent quatre différentes, se regroupant cependant en certaines familles[11].
3. La personne renie le désir d'être ce qu'elle est par crainte de perdre ce qu'elle a déjà. Ici la valeur « sécurité » l'emporte sur l'espoir d'une fidélité de soi à soi.
4. La personne répond positivement aux pressions sociales, même en sachant que celles-ci sont insidieuses

puisqu'elles modèlent l'identité de chacun. Les attentes sociales d'aujourd'hui que j'ai décrites plus haut sont tellement vastes qu'elles amplifient les pressions sur chacun. À l'évidence, certains sont plus perméables que d'autres à celles-ci et y succombent plus facilement.

B. Quelles sont les stratégies gagnantes afin qu'on devienne ou qu'on demeure ce qu'on est ?

1. La personne place la fidélité de soi à soi parmi les plus hautes valeurs.
2. La personne connaît les valeurs qui sont source d'anxiété et d'angoisse pour elle et s'en protège le plus adéquatement possible. On ne peut être à l'abri des valeurs qui dominent l'air du temps, par exemple l'individualisme, la compétition ou la rivalité. Une personne n'éprouvera pas d'anxiété si ces valeurs sont des préférences pour elle. Mais celles-ci deviennent anxiogènes quand la personne se place dans l'obligation de les vivre ou qu'elle y est soumise par quelqu'un d'autre.
3. La personne sait que la fidélité de soi à soi consiste surtout à faire des choix et à les assumer, donc la liberté prime la sécurité même si ces deux valeurs ne s'excluent pas l'une l'autre. Ainsi, une personne à la recherche de la cohérence déterminera clairement ce à quoi elle renonce et ce qu'elle choisit. C'est un pas important qui mène à une certaine cohérence, celle-ci n'étant jamais parfaite puisqu'elle est sans cesse fragilisée par les pressions sociales venant de tous les horizons.
4. La personne est critique face aux pressions sociales et cherche à s'affranchir de celles-ci. Ici, c'est l'individuation qui prime le conformisme.

C. Quelles sont les principales facettes de la fidélité de soi à soi ?

« La fidélité doit n'aller qu'à ce qui vaut [...] à la valeur de ce qui vaut », affirme le philosophe André Comte-Sponville. Cette citation ouvre une piste introspective : Envers quoi suis-je loyal ? Envers qui suis-je loyal ? Quels sont mes motifs ? Ai-je un problème de loyautés conflictuelles ? Souvent, une réponse affirmative à cette dernière question empêche de répondre aux précédentes. Alors, il faut explorer et analyser cette palette de loyautés qui peuvent entrer en conflit par un manque d'harmonie axiologique : Quelles sont les valeurs qui priment au travail ? Les miennes et celles de mon employeur ? Sont-elles contradictoires ? Quelles valeurs m'inspirent dans ma vie personnelle ? dans ma vie familiale ? dans l'éducation de mes enfants ? dans ma vie amoureuse ? dans mon cercle d'amis ? dans mes loisirs ? dans mes groupes d'appartenance ? Quelles sont les zones de cohérence ? Quelles sont les zones d'incohérence ? Quelles sont les zones grises ? Quels sont les dilemmes apparents ? Quels sont les dilemmes que je n'arrive pas à régler parce qu'ils sont trop déchirants ?

Dans le livre *Pour que les valeurs ne soient pas du vent*, j'ai largement expliqué pourquoi et comment le désir de cohérence naît de l'espoir d'une fidélité de soi à soi. Je reprends ici quelques propos de base en affirmant que ce désir de cohérence se manifeste uniquement quand une personne a conscience de l'existence de l'incohérence. J'irai plus loin en disant que la conscience de l'incohérence n'est pas suffisante. Elle fait apparaître le désir de cohérence quand un malaise s'installe progressivement chez la personne. Ce malaise se traduit par un profond sentiment d'inconfort de plus en plus intenable et qui déséquilibre la vie quotidienne. Il sera récurrent tant et aussi longtemps que des actions ne seront pas entreprises pour le résorber. Le désir de cohérence trouve satisfaction dans sa réalisation qui est elle-même nécessairement toujours fragile. Il est facile de croire qu'on peut résorber ce malaise en prétextant que l'humain est fait de paradoxes et de contradictions et qu'il doit les assumer.

Cette attitude de camouflage produit la vie caméléonesque qui aboutira un jour ou l'autre à un mal-être profond. À l'ère du *surfing* et du *zapping*, on ne parle plus de fidélités successives mais simultanées et contrastées, d'où le risque encore plus grand de détresse axiologique.

> **Surfer :** cela consiste à se laisser porter par une idée ou une valeur, même si elle est contraire à ses convictions, c'est prendre une vague, une mode tout simplement parce qu'il est possible d'en tirer un ou des avantages.
> **Zapper :** c'est bouger vite et c'est aussi papillonner d'une idée, d'un principe, d'une valeur à une autre même si cela provoque des dissonances et des paradoxes personnels et organisationnels.
> Définitions tirées de : *Quelle est votre mosaïque de vie ?*, éditions Contreforts, pages 150-151, 2003.

D. Comment réagit-on à cette notion de fidélité de soi à soi ?

Chacun a sa petite idée sur l'importance de la cohérence. À son égard, certains vivent un sentiment d'urgence, d'autres en font un mode de vie et finalement certains repoussent sans cesse sa recherche. Examinons ces trois figures.

Josette est au tournant de la quarantaine lorsqu'elle doit réorienter sa vie après un échec professionnel retentissant. Durant plus de trente mois, elle a transité entre trois états : le mal-être, la neutralité et la détresse. Elle n'a pas « pété les plombs », mais elle a connu une grande souffrance axiologique qui consiste en une réduction de sa valeur à son regard propre. Professionnellement, elle éprouve un isolement et un rejet de la part de son milieu de travail : « Personne ne lèvera le petit doigt pour m'aider à traverser cette mauvaise passe », a-t-elle affirmé après avoir tenté quelques contacts. Alors elle ne se sent pas juste isolée et rejetée, mais également ignorée. « Être ignoré est plus terrible qu'être rejeté », constate-t-elle, car « ça mine totalement l'estime qu'on a pour soi ».

L'urgence pour Josette est de redécouvrir ce qu'elle est. « Une tâche immense, une entreprise qui s'échelonne sur plusieurs années », croyez-vous. Peut-être pas !

Évelyne n'a pas encore dix-huit ans lorsqu'elle se pose cette question de fidélité de soi à soi. Elle opte alors pour une vie conforme à ses désirs et à ses aspirations, rejetant ainsi les pressions de son entourage. Elle veut « une vie personnelle et une vie professionnelle en harmonie ». Une fois ses études secondaires terminées, elle retarde son entrée à l'université. Au cours de cette période, elle se consacre à son art dans un bien-être qu'elle ne soupçonnait même pas, mais qu'on dit propre aux créateurs. Évelyne n'a pas suivi le séminaire prévu avec le professeur Gardner, mais elle a opté pour un approfondissement des recherches du professeur Csikszentmihalyi sur la théorie du *flow*, qui est un état émotionnel dans lequel une personne est totalement absorbée par une tâche ou une activité qui l'intéresse. Évelyne vibre aux travaux de ce chercheur, car ils expliquent ce qui se passe en elle lorsqu'elle crée : elle se sent alors totalement vivante et hors du monde.

Il semble bien qu'Évelyne s'organise une vie personnelle et professionnelle autour de sa passion, la sculpture. Elle cherche à unifier ses différents mondes, s'assurant ainsi d'un minimum de cohérence, donc de loyauté à soi. Cette valeur me paraît inscrite à jamais dans sa structure de personnalité, donc dans sa nature profonde. Elle vivra une intense détresse si un jour elle va dans d'autres directions, puisqu'elle fait de cette fidélité un mode de vie.

Évelyne ne rejoint pas la majorité des membres de sa génération dans sa façon de considérer cette valeur.

Dans l'enquête que j'ai menée auprès de ces jeunes, qui avaient entre quatorze et dix-huit ans en 1994, il apparaît clairement que la loyauté n'est guère une valeur importante pour eux, du moins quand ils l'associent au monde du travail. En ces années-là, on leur prédisait un avenir très sombre. « Je serai loyal à celui qui paiera le mieux », ont alors déclaré une majorité de jeunes au cours d'entrevues par petits groupes. « Pourquoi serions-nous loyaux à des compagnies qui ne le seront jamais à notre égard ? » expliquent-ils pour justifier leur position. N'oublions pas que ces jeunes sont maintenant sur le marché de l'emploi. Mais surtout rappelons-nous qu'ils seront sur la première ligne quand les sociétés occidentales se retrouveront avec une pénurie de personnel provoquée par le vieillissement de la population, et ce, dans moins de dix ans. Toujours prêts à aller ailleurs « pour une poignée de dollars de plus », ils constitueront probablement la première génération à imposer ses conditions financières aux employeurs. Et ils seront peut-être aussi les premiers à amorcer un virage historique à l'égard de la valeur « travail », celle-ci étant de moins en moins perçue comme un temps d'accomplissement. On s'accomplira davantage ailleurs, sans vraiment chercher un sens au travail qu'on fera : « Pour autant que je ne déteste pas mon travail et qu'il me permette de vivre une vie normale en dehors de celui-ci, c'est suffisant. Je m'arrangerai bien avec le reste. » Voilà un commentaire type qui dénote un nouvel état d'esprit, me semble-t-il ! Il y a fort à parier que ces personnes vivront alors leurs valeurs profondes surtout dans leur vie personnelle. Recherche de cohérence dans sa vie personnelle et acceptation des dissonances dans la vie au travail, voilà la nouvelle clé proposée par une partie de cette génération.

À l'aube de la soixantaine, **Jocelyne et Mathieu** sont toujours à la recherche d'un projet de vie conforme à leurs aspirations. En ce moment, ils font face à un choix difficile: soit ils prennent leur retraite maintenant avec des pénalités financières ou ils attendent à soixante-cinq ans. Depuis plus de trente ans, tous les deux œuvrent dans le commerce de détail, milieu qui n'offre pas les meilleurs salaires ni surtout les meilleures conditions de travail. Étant ensemble depuis le début, ils ont souvent rêvé d'une vie bohème, rêve entretenu par la musique country et la photographie, leurs deux passions communes. Plusieurs fois, ils ont été sur le point de s'engager dans cette vie souhaitée pour en faire même leur gagne-pain, mais « les contraintes de l'existence », disent-ils, ont fait que ce vieux rêve a été reporté de décennie en décennie. « Nous sommes deux bohèmes dans l'âme menant une vie sédentaire et routinière par nécessité et par habitude », me disent-ils pour expliquer leur incapacité à décider d'un changement.

Jocelyne et Mathieu ne se disent ni heureux ni malheureux, ni satisfaits ni insatisfaits. « Nous sommes plutôt au neutre », affirment-ils lorsque je leur demande de me préciser leur état d'esprit à l'aube de cette décision qu'ils doivent prendre. Surpris, je leur demande des précisions: « Avant, on craignait de ne pouvoir subvenir aux besoins des enfants et de ne pas être capables de les aider dans leurs études. Maintenant, on craint de vivre pauvrement avec notre mince retraite. Alors on laisse les vieux rêves dans le fond du coffre. Et puis, pourrions-nous nous passer de notre routine? Nous ne savons pas, et cela nous fait peur. C'est vrai que nous n'avons jamais été des aventureux. Oui bohèmes dans l'âme, mais pas tellement aventureux. »

Quelles sont les véritables questions que Jocelyne et Mathieu doivent se poser avant de prendre une décision ? Il y en a deux, une préalable à l'autre : Acceptent-ils de terminer leur vie dans cette neutralité qui mine les désirs et les rêves ? En répondant par un non ferme et consensuel, ils provoqueraient un mouvement vers de nouvelles décisions et de nouvelles actions, même si elles sont associées à des prises de risque. Espoir et progression ? Puissance ? En répondant par un oui, ils affirmeraient que l'espoir de changer les choses n'est pas présent en eux. Alors vaut mieux ne plus être captifs de ces vieux désirs et de ces vieux rêves. Soumission et résignation ? Impuissance ?

Espérer que ça va changer n'est pas suffisant. Il faut décider que ça va changer.

Deux options, mais une question de philosophie de vie.

7

Qu'est-ce qu'une valeur naturelle ?

Depuis la nuit des temps, les adultes maugréent contre les adolescents tout en les accablant de jugements de valeur rarement nuancés. Ça doit faire partie des cycles de la vie. Les adultes agissent-ils ainsi pour oublier leurs inconduites ou leurs frasques de jeunes adultes?

Les jeunes investissent sur plusieurs fronts à la fois : « pour acquérir une certaine indépendance vis-à-vis de leurs parents, pour être reconnus par les autres jeunes de leur groupe d'âge, pour accepter leur propre nouvelle image », pour atténuer les jugements de valeur qu'on pose sur eux et enfin pour se démêler dans toutes les valeurs contradictoires présentes dans le quotidien de leur vie ou dans leur entourage. Et aussi, ils désirent prendre des libertés à l'égard des normes et des comportements qui leur sont imposés par le monde des adultes et par la société en général. L'adolescent et le jeune adulte passent par une période essentielle qui est celle de la fabrication et de l'appropriation de repères. Cette étape cruciale correspond à celle de la recherche d'identité qui, on l'oublie souvent, n'est pas le propre de l'adolescence.

Cette période de la vie (l'adolescence et le jeune âge adulte) est à la fois un modèle de conduite et un modèle d'inconduite se concrétisant par des choix importants qui auront souvent des effets sur la vie entière, choix quelquefois judicieux, quelquefois désespérants au regard de l'adulte.

Les valeurs naturelles de chacun naissent dans ce contexte chaotique.

Avant d'aller plus loin, je tiens à une clarification: il n'est pas dans mon intention de magnifier l'adolescence. Là n'est pas mon but ni ma conviction. Dans la suite de cet ouvrage, en reprenant et en analysant certains témoignages, je veux montrer que les valeurs les plus inspirantes, les rêves les plus tenaces et les désirs les plus profonds sont présents dans les expériences et dans les cheminements que chacun vit avant plus ou moins l'âge de vingt ans. Dans cette période de son existence, chacun a l'intuition de ce qu'il devrait être en se guidant sur ses impulsions, tout comme il a l'intuition de ce qu'il risque de devenir en suivant ses pulsions. Mais les pressions sociales, groupales et parentales viennent quelquefois brouiller ou éclaircir ces deux grandes intuitions.

Une définition d'une valeur naturelle

Une valeur est dite naturelle quand elle est déjà présente dans les préférences personnelles d'un adolescent ou d'un jeune adulte. Elle teinte les désirs et les rêves de jeunesse. Elle sert à construire une partie de l'identité personnelle. Elle est naturelle aussi parce qu'elle suit la personne toute sa vie durant, même si elle ne passe pas dans ses références. À travers les âges de la vie, elle s'actualise quand elle devient à la fois une préférence et une référence. Elle est naturelle parce qu'elle procure une aisance axiologique, c'est-à-dire que la personne se sent à l'aise avec celle-ci, que cette valeur lui procure même un certain bien-être.

« C'est dans sa nature, ça lui ressemble », affirme-t-on souvent.

Chez une personne, une valeur naturelle est présente à tous les âges de la vie. Quelquefois, elle n'a pas dépassé l'état de désir, d'autres fois elle demeure un rêve ou un espoir, tandis que dans certains cas elle est passée partiellement ou complètement dans la réalité, donc dans le quotidien.

Combien avons-nous de valeurs naturelles ? Jamais une seule, mais au moins deux, l'une venant atténuer ou accentuer l'autre. Cinq ou six chez les êtres plus complexes, souvent qualifiés de « personnalités exceptionnelles »[12]. On me dira que c'est bien peu quand on sait qu'il existe plus de cent valeurs circulant dans notre univers axiologique. Retenons l'idée que ce qui vaut vraiment pour soi est plus restreint qu'on ne le croit.

Immaturité / maturité

Pour le commun des mortels, la maturité est souvent associée à deux états valorisés depuis un grand nombre de décennies : être responsable et être raisonnable.

À l'inverse, on prétendra que les adolescents sont immatures parce que certains manquent de jugement, de sens des responsabilités, de civisme et de respect à l'égard des adultes. L'immaturité est aussi souvent associée aux comportements dits infantiles ou à des intérêts qu'on ne devrait plus avoir une fois devenu adulte.

L'idée dominante qu'on se fait de la maturité est la suivante : l'adolescence est une étape complétée lorsque la personne devient mature selon les normes et les attentes d'une époque. Ici, chacun est autorisé à passer d'une étape à l'autre soit par des repères juridiques, soit par des repères culturels.

En fouillant ce qui se dit généralement sur la maturité, on comprend qu'il s'agit d'un concept nébuleux et subjectif, voire culturel.

« État d'un fruit mûr », lit-on dans les dictionnaires usuels. Appliquée à une personne, cette définition annonce un déclin plus ou moins proche, la maturité se situant tout juste avant celui-ci.

« Période de la vie caractérisée par le plein développement physique, affectif et intellectuel », ajoute-t-on dans des ouvrages spécialisés. « État de l'intelligence, d'une faculté qui atteint son plein développement », est du même ordre.

Le mot « plein » est évocateur encore une fois de déclin. Mais ici il y a une nuance importante. Par exemple : le plein développement physique n'arrive pas simultanément avec le plein développement affectif ou intellectuel ; il peut même y avoir plusieurs décennies entre les trois.

« La maturité c'est la sagesse » et elle vient avec le grand âge, affirme-t-on dans plusieurs philosophies. Pour d'autres, elle est plénitude, donc un sentiment de contentement absolu frôlant la béatitude. Par conséquent, un achèvement réservé, dit-on, surtout aux grands esprits et aux grands sages.

Quand devient-on adulte ?

Quel est le but ultime de l'adolescence ? C'est celui d'en arriver à nommer et à affirmer son moi en plus « d'oser dire je ».

« Moi, je suis moi. » Pour des raisons diverses, j'ai toujours aimé cette expression qui est aussi le titre d'un conte pour enfants publié[13] en 1980. « Moi, je suis moi » est une expression affirmative intégrant le je et le moi. Cette intégration est la base même du processus de création d'une identité personnelle.

« Car dire je, affirmer son moi en parlant en son nom propre, c'est quitter l'enfance pour passer à l'âge adulte[14] », mais c'est faire du respect de soi une des plus hautes valeurs. Il n'y a pas de fidélité à ses idéaux et à ses valeurs naturelles sans un attachement au respect de soi. Se respecter, c'est avoir de la considération pour soi avant même de prétendre respecter autrui.

Être soi-même est un processus perpétuel, non un état.

Rien de neuf quand on affirme cela. Depuis toujours, des philosophes démontrent l'importance de l'authenticité, de l'honnêteté envers soi, de la loyauté à ses convictions et à ses idéaux. Depuis deux siècles, des psychologues et des sociologues reprennent ces propos en les appliquant aux valeurs et aux normes de leur époque. Et probablement que dans les siècles prochains, ces thèmes seront repris sous des angles différents puisque les préoccupations individuelles et collectives seront probablement différentes, et vécues dans un autre contexte. Vus sous cet angle, j'affirme que les grands thèmes et les grands débats philosophiques ne changent pas. Ce qui change, c'est le contexte dans lequel ils sont observés et vécus.

En outre, être soi-même n'est pas statique parce que la société actuelle invite à son contraire. Depuis plus de deux décennies, l'économisme associé au conformisme produisent une nouvelle donne reposant sur l'idée qu'on ne doit rien faire pour entraver le développement économique, donc on doit se conformer aux exigences de ce modèle hégémonique érigé en culte. Seuls les spéculateurs financiers sont autorisés à entretenir le chaos si cela leur permet une meilleure profitabilité. Soumission aux diktats pour la « populace » et individualisme pour les « grands » de ce monde. Belle cohérence sociale ! Bel avenir collectif !

Il est faux de prétendre que nous vivons dans une société sans valeurs. Des élites politiques, religieuses et éducatives entretiennent cette croyance en prétendant posséder le système moral capable de régler cette crise de valeurs. Dès lors, l'absolutisme est à nos portes. Et ces élites sont à la recherche des êtres fragiles qui seront réceptifs à leur « vérité ».

Depuis que je m'intéresse aux valeurs personnelles et sociales, j'ai souvent démontré qu'il n'y a pas de crise de valeurs, mais plutôt une crise de cohérence personnelle et sociale.

Nous vivons dans une société malsaine qui veut tout et son contraire, donc une société qui ne choisit pas. Et une société qui ne choisit pas n'est pas une société libre dans les sens étymologique et philosophique du terme.

Une société tendant à l'incohérence peut-elle produire des personnes saines ?

Qu'est-ce qu'une personnalité saine ?

Une personne saine[15] vit, elle aussi, des moments où elle se sent mal à l'aise avec la vie, où elle remet en question certains de ses repères, où elle réévalue certains de ses rêves et de ses projets. Mais le déséquilibre qui se manifeste n'est pas source d'inhibition. Il peut même être dynamogène puisqu'il fait partie du processus d'appropriation des valeurs naturelles.

Idéalement, et peut-être utopiquement comme certains me diront, une personne saine est une personne qui ne fait rien par conformisme, mais tout par choix. Cela ne signifie en rien que l'anti-conformisme prime pour elle, puisque la contre-valeur du conformisme est plutôt l'indépendance.

Conformisme : se gérer en fonction de ce que les autres attendent de soi, donc des attentes et des pressions. Les valeurs « conformisme » et « devoir » sont souvent liées. Deux figures se présentent à soi : 1) Une personne peut choisir librement de se conformer parce que le sens du devoir l'emporte sur le reste ou parce qu'elle est en harmonie avec ce qui est exigé. 2) Elle peut aussi se conformer par crainte de déplaire aux autres ou par crainte de déroger aux valeurs dominantes du groupe ou encore par crainte des conséquences. Alors les jeux en présence sont fort différents.

Indépendance : se gérer en fonction des choix que l'on fait, sans se sentir subordonné aux attentes et aux pressions extérieures, même si l'on en tient compte dans le processus conduisant à la décision. Les valeurs « indépendance » et « responsabilisation » sont alors liées. Être responsable, c'est assumer les choix qu'on fait. C'est aussi tenir compte des engagements qu'on a déjà pris et avoir le souci des personnes proches de soi. Le jeu sera tout à fait contraire si la valeur « indépendance » se lie à la valeur « individualisme » : le chacun-pour-soi teintera alors le rapport à l'autre et pourra même aller jusqu'à la totale indifférence à l'égard de celui-ci.

Il y a donc la personne saine, et tous, je crois, nous espérons l'être et le demeurer.

Mais il y a aussi ces êtres qui n'en finissent plus de souffrir, malgré leurs efforts pour nous faire croire le contraire.

Époque après époque, on revoit de ces hommes et de ces femmes qui semblent toujours prisonniers des mêmes problèmes sans jamais leur trouver de solutions pertinentes et durables. Au cours des années, avec de plus en plus de raffinement, ces personnes souffrantes explorent sans cesse toutes les causes les ayant menées à cette situation « problématique », comme elles disent avec insistance. Elles peuvent décrire avec exactitude leur désordre psychologique, les thérapies suivies pour les résoudre et même tous les médicaments pris pour atténuer cette détresse. Avec certitude, elles savent quand cela a commencé. À les écouter, on sent très bien que ces problèmes les bouleversent, mais on ne sent pas la volonté de changer le cours des choses ici et maintenant. On sent plutôt une volonté d'expliquer leur situation dans les menus détails, comme si cela pouvait contribuer à régler leur « problématique »[16]. J'ai l'impression que ces personnes tournent en rond parce qu'elles n'ont pas l'élan nécessaire pour passer à autre chose. Ou peut-être ces attitudes sont-elles devenues la base de leur style de vie ?

Je ne sais pas. En plus, je n'ai pas la compétence pour aider ce type de personnes. Si je faisais office de charlatan, je leur donnerais de l'espoir en leur démontrant que la redécouverte de leurs valeurs naturelles propulsées par leurs rêves serait la solution pour transformer définitivement leur vie. Mais je ne dirai pas cela parce que je ne le pense pas.

Pour le moment, j'affirme plutôt que le concept de valeurs naturelles s'applique avant tout à des personnalités saines selon toutes les nuances que j'ai faites précédemment et que je ferai plus loin.

Nous avons le droit de souffrir,
mais non de succomber
à la souffrance.
Etty Hillesum

Une personne saine peut évidemment vivre de la détresse, mais elle conserve la volonté d'agir pour apprendre à être autrement. Elle est toujours en processus d'apprentissage, donc de renouvellement. Être fidèle à soi, cela s'apprend progressivement et l'idée des valeurs naturelles y contribue en tissant les fils de la cohérence.

Que fait-on de son adolescence après l'avoir quittée ?

Voilà la véritable question posée par l'approche des valeurs naturelles. Les vit-on dans les autres étapes de sa vie? Inspirent-elles la vie qu'on mène? Ou est-on troublé parce qu'on n'arrive pas à les actualiser ou parce qu'on les a ignorées depuis la fin de l'adolescence, ou encore parce qu'on ne les connaît absolument pas? Peut-on les réaliser au moment dit de la maturité? Ou préfère-t-on les renier parce qu'elles ne sont pas acceptables? Ou parce qu'elles ne nous définissent plus?

Utilisons d'abord les propos de Steven Spielberg pour illustrer une partie de ce phénomène. Dans une entrevue accordée en 2002 à *L'Express,* il affirme avoir une âme d'adolescent puisqu'il prétend que l'enfant qu'il était ne l'a jamais quitté. Mais Spielberg ajoute une nuance importante: «L'enfant que j'étais ne m'a jamais quitté, mais depuis une décennie, il y a un combat entre cet enfant et l'adulte que je suis devenu.» Le cinéaste mentionne ainsi qu'il vit un combat entre l'enfant qu'il a été et l'adulte qu'il est devenu. Ici, il exprime soit un manque d'harmonie entre cette âme d'enfant et cette âme d'adulte ou encore sa crainte que l'une prenne le dessus sur l'autre. Dans ses propos repris dans plusieurs entrevues, on décèle une certaine ambiguïté face à l'idée de la maturité.

L'écrivain Claude Jasmin communique cette même ambiguïté quand il écrit ce dialogue de sourds entre lui-même et une voie intérieure qui le semonce[17]. Il répond honnêtement, lucidement et de manière très imagée à son surmoi qui l'incite, au soir de sa vie, à faire un bilan en le questionnant sans ménagement sur ses grands projets d'antan.

Aux reproches à peine dissimulés que sa conscience lui adresse, Jasmin riposte :

« Merde, tu sais bien, non ?, jeune, on a de grands rêves et l'existence nous tasse, nous pousse, nous charrie, on fait ce qu'on peut, dit la chanson, pas ce qu'on veut.

- Des prétextes, des excuses, as-tu honte d'avoir renié une partie de ta jeunesse ambitieuse ?

- La paix ! J'avais des charges. Une famille, les enfants et tout le reste. Les distractions pleuvent, tout le monde sait ça. Et puis je visais trop haut, peut-être. On a les talents qu'on a, non ? »

La conversation entre Jasmin et sa voie intérieure se poursuit sur un ton un peu plus agressif. Jasmin admet s'être en partie laissé bouffer par son amour de la vie, de la nature, des voyages [...], par son attachement aux siens, par son besoin de conformisme.

Alors sa cruelle conscience l'accuse en lui rétorquant :

« Belle franchise mais il y a trahison d'un enfant aux grands yeux émerveillés, toi, non ?

- Ne me tourmente pas ! Aveu des aveux : je n'étais pas

si sûr (que tu crois) d'avoir un talent exclusif, rare. Je me consolais en me répétant qu'un pommier ne peut donner que des pommes.»

L'échange continue. Jasmin se fait plus convaincant, il jure à sa conscience avoir fait, encore tout dernièrement, un sublime effort de création pour produire «le grand ouvrage de sa vie». Il déclare, un peu à regret, avoir produit juste un roman de plus.

L'homme serait-il condamné à produire inévitablement la même espèce de fruits? se demande-t-il.

C'est finalement sur une note d'espoir que ce «dialogue de sourds?» prend fin. Une tentative de réconciliation entre le vieux Jasmin et l'enfant émerveillé qui l'habite toujours est en cours.

«Bon, bon, je lirai ça, je verrai bien si tu améliores un peu le rapprochement nécessaire, vital, du vieil homme avec l'enfant émerveillé qui se faisait candidement de belles promesses.

- Miroir, petit miroir, sois un peu indulgent pour celui qui devient vraiment "un vieil homme"... et de plus en plus sourd, tu veux?»

Prenons aussi cette déclaration de l'écrivain Philippe Verdin au sujet de son roman[18] *La grande tribu*, qu'il a écrit pour rester fidèle à un rêve d'enfant: «C'est un tribut payé à l'enfance, le songe éveillé d'un homme qui sait qu'il faut rester fidèle aux grandes passions de l'adolescence, ou périr avant elle [...].»

Verdin nous montre qu'il est inutile de chasser ce qui est profondément ancré en soi. Cela ne disparaîtra jamais. Pourquoi? Tout simplement parce qu'on ne peut chasser ce qui est dans notre nature profonde, surtout si cela nous aidait à être meilleur.

Où sont nos valeurs naturelles ?
Comment manifestent-elles leur présence ?

Elles rôdent en nous.

Elles se rapprochent et elles interpellent.

Elles refusent les prétextes qu'on utilise pour justifier leur mise à l'écart.

Elles s'absentent.

Elles reviennent.

Elles préoccupent.

Elles hantent.

Elles persévèrent.

Elles rappellent les vieux rêves mis en veilleuse.

Elles invitent à réaliser les désirs et elles ravivent les passions.

Elles rassurent quand elles s'intègrent dans la vie qu'on mène.

Elles confirment alors que les vieux rêves sont toujours les meilleurs.

Elles propulsent vers le meilleur de soi-même.

8

Comment trouver ses valeurs naturelles ?

J'ai publié un premier livre sur les valeurs en 1982. Depuis cette époque, je fais toujours face aux deux mêmes problèmes lorsqu'il s'agit de diffuser les concepts et les idées autour de ce que j'appelle aujourd'hui l'axiologie, qui est tout simplement la partie de la philosophie qui s'attarde aux valeurs.

Quel est le premier problème ? Chacun a des valeurs, donc chacun a la prétention de savoir ce que c'est, alors on ne prend pas le temps de définir les choses. Dans les faits, c'est le bla-bla qui l'emporte sur la rigueur, c'est le « parler pour parler » qui remplace une introspection porteuse de sens, alors ce sont les généralités qui dominent le processus d'élection des valeurs. Toutes les analyses personnelles et tous les échanges sur les valeurs sont inutiles si rien n'est défini et si rien n'est situé dans un cadre plus large, soit celui de la morale ou de l'éthique.

Quel est le deuxième problème ? C'est celui de la fuite ou de l'esquive face à la cohérence. Aucun des échanges sur les valeurs n'a d'intérêt si le souci de la cohérence n'apparaît pas. À quoi sert d'exprimer des préférences si on ne veut pas les transférer dans des références, c'est-à-dire dans l'action quotidienne ? À quoi sert de nommer les valeurs qui nous sont les plus importantes si ce n'est que pour en faire un texte qu'on oubliera aussitôt ?

Dans les dix-sept lignes précédentes, il y a six idées ou concepts qui méritent d'être définis, et nous n'avons pas encore nommé une seule valeur.

Axiologie : étude des valeurs et de leur position les unes par rapport aux autres. Étude de ce qui vaut. Branche de la philosophie.

Cohérence : adéquation parfaite entre la préférence et la référence. C'est le manque d'adéquation qui fait naître le désir de cohérence. La réalisation de celui-ci s'observe par un travail sur les valeurs dans le quotidien. La cohérence parfaite étant une utopie, il est préférable de parler de la recherche de cohérence. C'est la fidélité de soi à soi.

Éthique : « L'éthique est la discipline qui réfléchit sur les comportements afin de trouver le plus adapté d'entre eux face à une situation. » Bertrand Vergely.

Morale : « La morale réfléchit sur des principes et elle s'intéresse à la vertu. » Bertrand Vergely. La morale s'appuie sur la dichotomie Bien et Mal.

Valeur de préférence : une valeur est une préférence quand elle est l'expression d'un choix entre plusieurs possibilités. Une préférence, c'est l'affirmation et l'attribution d'un degré d'importance. C'est nécessairement un processus d'exclusion, tout simplement parce que choisir, c'est avant tout exclure.

Valeur de référence: une référence est un cadre d'action. Une valeur est une référence quand elle inspire les gestes quotidiens et les projets de la personne.

Valeur: référence déterminante pour la conduite d'une vie, d'un projet ou d'une organisation.

Vertu: ce qui se rapproche de la perfection.

Josette explore ses valeurs naturelles

Les histoires de Josette et de Maud diffèrent parce que la première est dans l'urgence et que l'autre est à l'aise avec la vie. Il y a cependant un point commun aux deux cas, puisqu'elles ressentent la nécessité de prendre des décisions. Josette est seule face à celles-ci, tandis que Maud y associe son conjoint puisque cette relation n'est aucunement remise en question et qu'ils envisagent même des changements communs dans leur priorité de vie.

Ici, je m'attarderai uniquement au cas de Josette puisqu'elle est mon témoin phare pour cet ouvrage. La démarche[19] que Maud a réalisée est décrite dans certaines parties des deux autres livres composant cette trilogie sur les valeurs.

Revenons donc à Josette, que j'ai accompagnée dans ce processus d'exploration de ses valeurs naturelles mais légèrement puisque je me suis contenté de répondre à certaines de ses interrogations et de la guider en lui proposant toujours un choix de démarches ou de manières d'agir ou en l'alimentant avec quelques outils et textes de réflexion. Dans ce type d'intervention, je crois qu'on doit fournir de nouveaux repères et quelques référentiels appropriés afin de questionner sa vie et aussi la vie, non pas pour rejeter les anciens mais tout simplement pour ouvrir de nouvelles perspectives. Donc voici quelques repères terminologiques supplémentaires:

Détresse axiologique : elle se manifeste quand la personne ne sait plus ce qui vaut, ce qui l'inspire et ce qui l'oriente. Elle se traduit par une incapacité à nommer ses valeurs de préférence, c'est-à-dire à hiérarchiser ses valeurs personnelles.

Dilemme : il y a dilemme quand il y a obligation de choisir entre deux solutions contradictoires afin d'intervenir dans une situation ou de résoudre un problème.

Dilemme axiologique : il remet en cause les valeurs et les convictions qui nous inspirent profondément. Il y a dilemme axiologique quand la personne doit choisir entre ce qui vaut pour elle et la contre-valeur.

Santé axiologique : elle s'observe quand la personne a des repères clairs et réussit de la sorte à régler ses dilemmes.

Souffrance axiologique : selon le professeur Alain Froment, « c'est la réduction de notre valeur à notre regard propre, et c'est la réduction de notre valeur au regard des autres ».

Depuis maintenant neuf mois, Josette est installée dans la maison au hamac jaune. Elle y mène une vie simple où elle se sent quelquefois isolée, malgré l'amitié qu'elle entretient avec Martin, Brigitte et Antoine. Aucun des trois, pas plus que Bertrand d'ailleurs, n'est très porté aux longues soirées de discussion autour des problèmes de chacun. Ce sont des êtres réconfortants et apaisants, mais qui semblent avoir la même philosophie avec les problèmes inhérents à la vie : il ne sert à rien de passer son temps à les triturer et à les examiner sous tous les angles afin de les régler. Pour Josette, c'est une vision différente de celle qu'elle a entretenue notamment avec ses « amis » d'Antibes. Avec son clan, comme elle le dit, elle passait de longues soirées dans les boîtes et les restos à la mode et, l'alcool aidant, les échanges dérivaient vers les états d'âme de chacun, le tout se terminant dans un brouillard troublant qui laissait apparaître des êtres plus fragiles qu'on ne le croyait. Josette aimait ce sentiment de proximité avec les autres, car elle présumait de la sincérité de chacun. Pour elle, ce clanisme était rassurant. Au moment de la débandade de son entreprise, l'enchantement a fait place à un désenchantement douloureux quand elle a compris que le chacun-pour-soi primait le partage et la solidarité.

Depuis son départ d'Antibes, Josette a appris quelques petites choses qui lui semblent plus importantes qu'elle ne le croyait jadis : 1) De son expérience récente de quelques mois dans un cabinet d'orthophonie, elle retient qu'il est assez facile de faire semblant de se soumettre à des croyances ou à des manières de faire qui ne sont pas les siennes. Cette constatation la rassure et la questionne à la fois. « Dans le contexte du travail, la loyauté à soi est-elle si importante qu'on le prétend ? » me demande-t-elle en se disant incapable d'aller plus loin dans sa réflexion personnelle. 2) La valeur « temps » lui cause toujours un énorme souci. De son aventure dans le monde des affaires, elle a appris qu'être affairé n'est pas un signe de satisfaction et d'accomplissement. Mais depuis quelques mois, elle culpabilise parce qu'elle laisse couler le temps sans vraiment s'engager dans un travail ou dans un projet quelconque. Elle s'avoue maintenant qu'une certaine effervescence lui manque. « Avoir trop de temps à soi est probablement aussi néfaste que ne pas en avoir assez », se dit-elle quand elle réfléchit à cette valeur : « N'est-ce pas avant tout une question d'équilibre, de conciliation de différents intérêts ? » 3) Après son échec retentissant dans le monde des affaires, elle se dit captive de la prudence. De nouveaux désirs et de nouveaux projets se pointent dans son esprit, mais elle freine tous les enthousiasmes prématurés, laissant ainsi la raison dominer la spontanéité. « Et ça ne ressemble pas à ma nature profonde », se dit-elle quand elle réfléchit à cette situation. 4) Au plus profond de son âme, elle sait qu'elle ne veut plus s'aventurer dans un monde dominé par les valeurs guerrières de suprématie et de rivalité. Elle reconnaît aujourd'hui que ces valeurs la minent de l'intérieur. Elle se promet de les fuir, car elles provoquent chez elle de l'inconfort physique, psychologique et philosophique. Elle ne veut plus se lever le matin et sentir dans son corps et dans son âme qu'elle part en guerre encore une fois. Elle a appris que ces valeurs guerrières ne lui conviennent plus ou, plutôt, qu'elles ne lui ont jamais convenu. Désormais, elle se méfiera de l'air du temps, car il est si facile de se laisser emporter par les valeurs dominantes d'une époque sans même s'interroger sur leur portée. « Aujourd'hui c'est comme ça » répète-t-on sans cesse partout comme pour justifier les attitudes et les comportements changeant au gré des modes et des tendances. 5) Toute cette période, elle la synthétise dans la formule suivante : « J'ai appris que la vie est intenable et inconfortable quand elle génère des conflits d'obligations, de désirs et de valeurs. Cela se ressent dans le corps et dans les émotions jusqu'à l'éclatement. » Ce phénomène, elle l'a vécu lorsqu'elle s'est étendue dans ce hamac jaune qui est devenu si important pour elle.

Un jour, je l'invite à décliner ses souvenirs d'adolescente à l'égard des valeurs qu'elle jugeait importantes à ce moment-là. En fait, il ne s'agit pas de raconter sa vie dans le menu détail, mais de laisser émerger des flashs axiologiques qui sont des moments magiques, des rencontres marquantes ou des événements révélateurs restant dans la conscience immédiate malgré les années. Cette déclinaison de souvenirs conduira

Josette à éclaircir cinq grandes questions : Quels sont les indices (flashs) de valeurs présentes dans son adolescence ? Quelles sont les valeurs « naturelles » qui sous-tendent ces flashs ? Quelle vie souhaite-t-elle vivre ? A-t-elle des désirs et des rêves ? Lesquels étaient déjà présents avant l'âge de vingt ans ?

Parmi la vingtaine de flashs axiologiques repérés par Josette, j'en synthétise quelques-uns afin d'illustrer la démarche de clarification de ses valeurs naturelles. Délibérément, je choisis de conserver la première personne du singulier afin de bien exprimer les repères de Josette :

1. Vers l'âge de quatorze ans, j'étais membre des guides, la version féminine des scouts. Ce mouvement de jeunesse était fort important dans ma région autant pour les filles que pour les garçons. Étant aussi d'obédience catholique, il ne déplaisait pas à nos parents, qui y voyaient un prolongement de leurs croyances religieuses. À son adolescence, Colette, ma mère, a fait partie du même club. Mademoiselle Arlette dirigeait notre club en respectant les directives du bureau national, mais elle y allait aussi d'initiatives personnelles. En fait, elle ne dirigeait pas notre club, mais elle l'animait en utilisant toutes sortes de techniques. Ainsi nous a-t-elle fait pratiquer les principaux rudiments de la démocratie tout en nous inculquant l'idée que la femme avait un rôle essentiel à jouer afin de rendre le monde meilleur. « Apprenez à être moins docile », disait-elle très souvent quand nous discutions de l'avenir. J'avoue que cela me troublait beaucoup à cause des sentiments négatifs que j'avais à l'égard de mon père. Aussi, à chacune des réunions du club, elle prenait dix minutes pour nous présenter son catalogue personnel d'hommes et de femmes d'exception. Je me souviendrai toujours de sa présentation de

monsieur Marcel, le philosophe du village, et de madame Thérèse, sa femme, professeur. Pour madame Arlette, Marcel et Thérèse étaient des êtres autonomes qui n'en formaient pas moins un couple solide. Pour moi, dans mon âme d'adolescente, ces deux personnes constituaient auparavant une version moderne de Roméo et Juliette, une version fleur bleue. Après cette présentation, je vis ces deux intellectuels du village d'un œil nouveau. Chaque automne, je participais chez eux à la traditionnelle « corvée des branches » après l'élagage des pommiers. Je me voyais déjà propriétaire des lieux et poursuivant leur œuvre. Quelques années plus tard, le couple me confiait quelques tâches estivales en plus de me demander de mettre de l'ordre dans leur bureau. Je me sentais tellement utile quand je les aidais et tous les deux me manifestaient une telle reconnaissance ! Après, j'ai quitté la région pour mes études, mais ces souvenirs ont toujours été présents. Une certaine gêne et une certaine réserve m'ont empêchée d'échanger véritablement avec ce couple. J'ai ressenti le même malaise quand j'ai revu monsieur Marcel il y a quelques mois. Dommage pour moi!

2. Vers aussi quatorze-quinze ans, au moment du choix de mon totem, j'ai vécu une expérience significative chez les guides. Fidèle à ses habitudes démocratiques, madame Arlette avait, pour choisir le totem de chacun, une méthode qui faisait jaillir les propositions de toutes les autres guides, mais qui reposait aussi sur l'idée que la candidate avait la décision finale autant pour l'animal retenu que pour le qualificatif qui y serait apposé. Après des échanges et des recherches, l'assemblée me propose trois animaux ayant une certaine ressemblance avec moi : la fauvette, la biche et la chouette. On m'explique les

raisons de ces propositions. Sans aucune hésitation, je choisis la biche. Après d'autres échanges, on me propose quatre qualificatifs : biche dévouée, biche protectrice, biche tendre et biche sincère. J'en retiendrais au moins trois, mais puisque le jeu n'en autorise qu'un, eh bien je retiens la biche dévouée.

3. Entre quinze et dix-huit ans, j'ai beaucoup réagi à l'autoritarisme de mon père qui était pour moi une forme de dictature. Il réclamait qu'on respecte son autorité, donc sa hiérarchie au sein d'une famille traditionnelle, mais, en plus, il imposait ses vues sur tout. Au début, j'étais soumise, mais je sentais souvent monter en moi une colère qui me révélait des facettes de moi que je n'aimais pas.

4. Fuyant mon père et aussi pour l'affronter, je suis devenue une biche aventurière et cachottière.

5. En faisant cet exercice rétrospectif, je me suis interrogée au sujet de l'expression « rien de trop… » que Bertrand me rappelle souvent et qui, selon lui, devrait définir mes désirs et mes rêves. Le flash que j'en ai remonte à l'été de mes quatorze ans. Inscrite dans une colonie de vacances pour deux semaines, j'y expérimente une activité théâtrale. Le moniteur propose de monter une saynète à partir d'une fable de Jean de La Fontaine. Dans mon équipe, nous avions choisi la fable « Rien de trop » sans vraiment en comprendre le sens ; nous avions été plus impressionnés par l'illustration d'animaux qui l'accompagnait que par le texte. Je me revois avec mes quatre compagnes, au cours de la finale de notre saynète, scandant, pancartes à la main, « Rien de trop pour ne pas gâcher la Vie ».

6. Vers la fin de mon adolescence, souvent j'ai eu des discussions avec ma mère sur ce qui la rendait heureuse: « Je le suis quand je me sens utile à quelqu'un ou à quelque chose. » Elle insistait beaucoup sur la nécessité d'accomplir quelque chose à la mesure de ses talents, non pas à la mesure des attentes des autres. À cette époque, je crois que je n'ai pas compris son message ou du moins a-t-il été altéré par la vision qu'on en propose à l'école française, soit celle de la méritocratie. J'ai toujours été quasiment obsédée par l'idée de l'accomplissement personnel. Je crois que chacun doit se distinguer de l'autre par ce qu'il fait de sa vie. Pour la société, la valeur « accomplissement » s'associe à celle du travail. Donc, il faut s'accomplir dans son métier ou dans sa profession. Dans ce contexte, il existe une sacralisation du travail et une surestimation des vertus de celui-ci. Je suis tombée dans ce piège quand j'ai décidé de fonder une entreprise multimédia. Ayant toujours besoin d'une certaine reconnaissance de la part des autres, j'ai été gâtée sur ce plan au cours des premières années de l'aventure. Par la suite, la reconnaissance s'est transformée en renommée, laquelle peut favoriser l'estime de soi. J'ai maintenant compris que j'ai souvent recherché le plaisir de la reconnaissance plutôt que celui de l'accomplissement. En fait, j'ai retrouvé le plaisir simple de l'accomplissement de quelque chose quand j'ai sculpté mon affiche au hamac jaune. Tout un détour pour comprendre une chose si simple, mais qui se complique sous la pression sociale.

7. De l'âge de quinze ans à vingt-cinq ans, fermement, j'ai cru que l'amour était la valeur la plus importante de la vie et que sans celle-ci mon propre bonheur serait très relatif. Aujourd'hui, je dépasse la quarantaine et je n'ai pas

encore connu d'amour véritable. Avec le temps, j'en suis arrivée à penser que l'amour serait une entrave à mon indépendance personnelle. Du moins, cela me sert de justification quand je rationalise sur ces valeurs.

8. Etc.

Le bilan provisoire de Josette

Tous les flashs axiologiques consignés deviennent des pistes de réflexion menant à la mise en ordre des valeurs d'une personne : celles qu'on porte en soi depuis l'adolescence, certaines étant actuellement des références et d'autres ne dépassant pas les préférences ; celles qu'on désire intégrer à la vie actuelle parce qu'elles sont de nouvelles préférences, donc des désirs qui ouvrent de nouveaux horizons de vie, et finalement celles qu'on refuse et qu'on rejette.

Après avoir défini et exploré le sens des valeurs qu'elle a nommées, elle en fait un premier bilan qui la conduira à des orientations de vie :

- Josette retient l'accomplissement et la reconnaissance comme étant deux valeurs qu'elle porte en elle depuis toujours. Elle conçoit ces deux valeurs comme étant indissociables : l'accomplissement est une valeur très personnelle alors que la reconnaissance vient du regard de l'autre. Elle sait maintenant qu'elle devra rechercher un équilibre entre ces deux valeurs. Par contre, elle sait que le mérite et la renommée sont deux valeurs qui viennent sans cesse complexifier le couple accomplissement / reconnaissance. Elle devra être vigilante, elle qui a goûté à l'adulation et au vedettariat, car elle ne nie pas qu'elle y a trouvé un grand plaisir, devenu cependant cauchemardesque.

- Le dévouement et le partage sont les deux valeurs qu'elle estime être les plus naturelles pour elle. Se dévouer, pour elle, autrement dit se sentir utile tous les jours, et partager ses expériences avec les autres sont des états de vie qui lui procurent de grandes satisfactions. Elle souhaite que ces deux valeurs ne soient pas réservées au temps libre, mais qu'elles s'intègrent à son travail.
- Pour le moment, elle n'arrive pas à définir la place de sa famille et de l'amitié dans sa nouvelle vie. Elle anticipe cependant qu'elles occuperont une place restreinte dans son architecture de valeurs.
- Josette a beaucoup réfléchi sur la vie qu'elle veut mener désormais. Elle a des rêves liés à ses valeurs, comme se sentir utile en partageant ses expériences de vie, mais elle n'a plus de désirs ou de rêves matériels : elle sait maintenant qu'elle ne rêvera plus de posséder une BMW ou une villa au Maroc. Elle a eu tout cela, mais cela ne lui a pas procuré un bonheur satisfaisant. Si jamais elle retrouve une certaine aisance matérielle, elle s'en servira afin de se sentir encore plus utile.
- « Les vieux rêves sont toujours les meilleurs », dit-on dans le film *Sur la route de Madison.* Josette entretient toujours ce vieux rêve d'un amour respectueux qui dépasse tout, même quand il est impossible. Elle aime Francesca et Robert qui « surent qu'ils étaient faits l'un pour l'autre de toute éternité ». Depuis des mois, elle visionne régulièrement ce film non pas pour se torturer, mais pour comprendre tous les dessous de l'amour. « Si je ne vis jamais une véritable histoire d'amour, j'en écrirai une », affirme-t-elle.

- La soumission aux apparences est une valeur que Josette refuse désormais. Cette valeur n'est pas une préférence et Josette fera tout pour qu'elle ne redevienne pas une référence. Josette se déteste quand elle joue ce jeu-là.
- Josette affirme aussi qu'elle s'éloignera de tous les projets qui s'inspireront de valeurs guerrières basées sur la dichotomie gagnant /perdant. Les résultats de sa réflexion sont clairs sur ce sujet. Elle souhaite ne plus jamais vivre le mal-être qui découle de ces situations. Et elle ne veut soumettre personne à ces mêmes valeurs.

9

Les trois trésors de la vie : santé, spiritualité et estime de soi...

Spontanément, toutes les personnes qui cherchent à nommer leurs valeurs personnelles en arrivent à se poser cette question formulée par un de mes lecteurs. Avec son autorisation, je reproduis ici son message qui m'a poussé à une réflexion plus approfondie sur le sujet, même si elle est encore bien sommaire.

« Je lis et j'étudie avec beaucoup d'intérêt votre dernier livre *Quelle est votre mosaïque de vie?*

« Je voudrais vous faire part que j'ai été étonné de ne pas retrouver la santé dans votre inventaire des valeurs. Ayant un problème de santé depuis plus d'un an,

j'ai pris conscience de l'importance de prendre des mesures actives pour tenter de demeurer en meilleure santé. Je cherche à m'alimenter mieux, à boire beaucoup d'eau, à faire plus d'exercices, à limiter ma consommation d'alcool, etc. Pour moi, la santé est une valeur précieuse et je cherche à la sauvegarder même si je suis conscient que nous n'en avons pas le plein contrôle.

« Je voulais vous faire parvenir ce courriel parce que je me demande bien pourquoi cette valeur ne se retrouve pas dans votre inventaire des 104 valeurs. Selon moi, si je me base sur votre définition d'une valeur, la santé pourrait s'y retrouver. Car, pour les gens ayant perdu leur santé ou la sentant menacée, celle-ci devient une référence déterminante pour la conduite d'une vie. Je serais très heureux que vous me fassiez part de vos réflexions à ce sujet. »

Harold, du Lac-Saint-Jean.

Les différentes visions

Sujet délicat, parce que la santé est un phénomène social universel. Sujet controversé, parce qu'il contient une dimension politique indéniable qui conduit les gouvernements et les citoyens à s'affronter sur le terrain des priorités. Sujet sensible aussi, parce qu'il touche tous les individus, sans égard à leurs convictions, à leurs valeurs et à leurs opinions. Sujet émotif également, parce que chacun est plus ou moins toujours en situation potentielle de perte de santé, quelquefois à cause de sa conduite personnelle et quelquefois à cause d'événements ou de faits qu'il ne maîtrise pas.

Au début d'une nouvelle année, il est d'usage d'offrir des vœux de santé à ses proches ou même à des connaissances. « Quand la santé va, tout va », dit-on quelquefois par conviction et souvent par habitude. Mais cela cache l'espoir d'une vie sans maladies graves qui handicapent la vie, donc la qualité de vie, pour reprendre une expression apparue il y a moins de cinquante ans.

Aujourd'hui, la santé s'associe à une recherche de bien-être ou de mieux-être. On parlera alors de santé physique mais aussi de santé mentale, intellectuelle, axiologique et même spirituelle. Dans cette première vision, la santé n'est pas un état, mais bien une dynamique, même un style de vie.

À l'ère des apparences, une deuxième vision se développe en accéléré depuis quelques décennies. C'est la santé comme conformité à des modèles et à des diktats. Cette vision se traduit dans les valeurs de jeunisme et de performance imposées par le discours social dominant. J'ai déjà abordé cette tendance et ces valeurs dans le livre *Pour que les valeurs ne soient pas du vent.*

À ces deux visions, il faut ajouter celle de la santé « parfaite » germant dans l'esprit d'un nombre croissant de scientifiques qui espèrent que la recherche fondamentale et appliquée sur les génomes humains conduira la civilisation vers cette nouvelle utopie.

Les dimensions intimes de la vie

Avec l'estime de soi et la spiritualité, la santé physique est l'une des trois dimensions intimes de toute personne. **Elles transcendent tout.** Je dirais qu'elles sont les trois trésors de la vie, donc des dimensions précieuses qu'il faut entretenir.

Il n'y a pas de vie saine, voire confortable, sans ces dimensions qui nous rapprochent de l'essence même de ce qu'est une personne. Explorer ces dimensions, c'est accéder à sa nature la plus profonde, soit celle qui singularise. J'ai la conviction que ces trois dimensions intimes sont liées et qu'on ne peut les hiérarchiser.

Qu'est-ce qu'une dimension intime ? C'est ce qui rejoint la personne dans sa chair, dans ses sentiments et dans ses émotions.

C'est ce que certains appellent « la vérité du corps ». À l'égard de la santé, il suffit de penser aux réactions et aux préoccupations qui jaillissent quand un médecin annonce une première maladie relativement grave à un patient. À ce moment, chacun vit un point de retournement qui, généralement, provoque une remise en question des priorités, des valeurs et de la conduite personnelle.

Tout comme la santé axiologique, la santé physique est un phénomène complexe. Aujourd'hui, il n'est plus nécessaire de démontrer que des facteurs génétiques, biologiques et environnementaux prédisposent chacun à une plus ou moins bonne santé. On reconnaît également que l'angoisse, l'agressivité, la culpabilité rongent la personne et que cela a des incidences sur la santé tant physique que psychologique. On sait aussi que la qualité de la conduite personnelle a une belle place dans la prévention et le maintien d'une bonne santé et même dans le traitement des maladies. À vrai dire, je crois que c'est la seule chose sur laquelle chacun a du contrôle relativement à la santé physique. Personne n'est responsable de sa génétique, mais tout individu ayant dépassé l'enfance est responsable de sa conduite personnelle.

La ligne du temps

Dans la ligne du temps, je crois que les processus se développent de la manière suivante :

(1) La santé se déconstruit généralement avec l'avancée en âge, donc avec le temps. C'est un processus de régression, puisqu'il mène irrémédiablement vers la maladie et vers le vieillissement. Mais un tel état n'empêche pas l'humain de progresser en créant de nouveaux rapports avec la vie, comme le mentionne l'écrivain Rainer Maria Rilke : « Tout progrès doit venir de la partie intime de l'être et ne peut être ni forcé ni

pressé par quoi que ce soit. Tout est gestation et mise au jour. Permettre à chaque impression, à chaque sentiment naissant de parvenir à son achèvement, à son plein développement, dans l'obscurité, l'inexprimable, l'inconscient, hors d'atteinte de sa propre intelligence, et attendre avec patience et une profonde humilité le moment où naîtra une clarté nouvelle… » C'est dans cette perspective que les valeurs naturelles deviendront essentielles pour stimuler et créer cette clarté nouvelle.

(2) Les valeurs se construisent et s'assument avec le temps, même si nos valeurs naturelles nous habitent depuis l'adolescence. C'est un processus de progression, puisqu'il s'agit d'édifier cette mosaïque de vie composée de valeurs cohérentes qui inspirent notre conduite à l'égard des dimensions intimes de notre personne. Une personne n'a ni le même regard, ni la même réaction, ni la même sagesse quant au processus santé/maladie/souffrance/vie saine selon les valeurs qui l'animent : la dépendance et la soumission ne conduisent pas à la même sagesse que l'autonomie et l'indépendance ou encore que la responsabilisation et la persévérance.

(3) Et les deux processus s'entrecroisent et quelquefois ils entrent en collision sur la ligne du temps. Dans cette perspective, les valeurs sont des phares qui facilitent les prises de décision concernant les priorités et la conduite personnelle.

Étant des dimensions intimes de la personne, la santé physique, la spiritualité (qui peut être aussi une éthique personnelle forte) et l'estime de soi s'appuient sur une kyrielle de valeurs partielles et sur quelques valeurs complètes propres à chacun. Cela conduit à avoir sa propre vision des choses de la vie. Et si en plus ces valeurs complètes sont des valeurs naturelles, alors l'harmonie sera de plus en plus présente dans les décisions que chacun prendra.

Donc la santé a de la valeur parce qu'elle est précieuse et fragile, mais elle n'est pas une valeur dans le sens axiologique du terme.

La santé est une dimension intime de la personne qui, cependant, ne peut se passer des valeurs.

Et c'est aussi valable pour la spiritualité et l'estime de soi…

Épilogue

Il faut faire de la vie un rêve
Et faire d'un rêve une réalité.
Pierre Curie

Il m'aura fallu tous ces détours
pour atteindre ma vraie destination.
Sylvie Granotier, 2002

Faut-il nécessairement faire ces longs détours
pour découvrir toute l'importance
des premières intuitions?
Claude Paquette, 1992

10

Quelques réflexions

Un murmure permanent

Il s'est écoulé presque vingt ans entre la rencontre avec Léonard, le musicien qui détonne, et cet épilogue adressé, dans sa dernière partie, à Josette, une battante abattue qui conserve cependant cet élan vital poussant vers de nouveaux horizons, lesquels se définissent au fur et à mesure des décisions et des actions.

Avant de vous transmettre des nouvelles de Josette, je veux vous faire part d'une interrogation qui a été présente à mon esprit tout au long de l'écriture de ce troisième volet de ma récente trilogie sur les valeurs. Une préoccupation présente comme un murmure permanent.

« Oui, mais toutes les valeurs naturelles sont-elles acceptables ? »

Quelqu'un, par exemple, pourrait-il justifier son autoritarisme et sa violence à l'égard des autres en affirmant qu'il porte en lui depuis son adolescence ces valeurs qui le propulsent vers son rêve le plus profond, celui de prendre le contrôle d'un gang de rue ?

Ici se pose le problème des bonnes et des mauvaises valeurs. Qu'est-ce qui fait qu'une valeur comme l'autoritarisme peut paraître acceptable, voire être valorisée dans certains contextes, alors qu'elle est inacceptable dans d'autres ? Essentiellement, c'est une dimension morale, donc la distinction entre le Bien et le Mal, qui fait toute la différence. On reconnaît bien que la triade autoritarisme, suprématie et rivalité génère des conduites différentes, mais de même famille, de celles produites par la triade autoritarisme, compétition et individualisme. Avec la première triade, il est probable que les conduites délinquantes se multiplieront, alors que pour la deuxième on dira que les conduites vécues sont normales dans la société actuelle.

Dans ma réflexion sur le sujet, je me suis tourné vers l'histoire de grands criminels. Je retiens ici celles de Jacques Mesrine et de François Besse, deux associés et complices dans le crime. Le premier a été abattu par les policiers français après d'innombrables cavales ponctuées de meurtres, de vols et de défis aux autorités judiciaires. De la lecture de dossiers sur Mesrine, il ressort qu'il se faisait quasiment un devoir d'être un criminel et qu'il évoquait même des dimensions philosophiques et morales pour s'en justifier. Il se disait un justicier ayant tout de même un faible pour l'argent rapidement gagné par le vol. Dans son ouvrage *L'instinct de mort,* publié en 1977, Mesrine écrit que l'on devient « criminel comme d'autres deviennent curé, soit par vocation ».

Dans le contexte de ce livre sur les valeurs naturelles, le cas de François Besse est intéressant parce qu'il repose le problème des impulsions et des pulsions que j'ai mentionné au septième chapitre. François Besse, l'ancien « ennemi public n° 2 », le premier ayant été Mesrine, a été arrêté pour la dernière fois en 1994 après six évasions entrecoupées de longues cavales également ponctuées de crimes répétitifs, mais il se définissait comme un « bandit d'honneur ». À partir de ce moment, on a dit qu'il s'était rangé. À cinquante-huit ans, en 2002, il fait finalement face à la justice et sa conduite en prison est dite exemplaire : « Il a passé un bac en littérature, il termine un deug de philosophie, il a appris le métier d'ingénieur de son. En plus, il souhaite s'occuper de sa fillette de huit ans et de sa jeune femme. Il souhaite retourner vivre à Cognac, son lieu de naissance. » Un peu plus et il serait présenté comme un véritable héros romanesque par son procureur. En juin 2002, Besse reçoit « un verdict exceptionnel pour accusé remarquable », titre le journaliste de *L'Humanité.* Le juge le condamne à huit ans de prison avec une possibilité de sortie en 2007. Dans son réquisitoire, l'avocat général développe le thème nietzschéen du « deviens ce que tu es » et juge que le François Besse d'aujourd'hui « développe des qualités qui à l'origine avaient une forme de cohérence ». L'avocat termine son plaidoyer en citant le poète Paul Valéry : « La fonction la plus élémentaire de l'être humain, c'est de créer de l'avenir. » François Besse conclut le procès de la manière suivante : « Monsieur l'avocat général, vous avez lancé comme un espoir pour moi. Je ne peux pas l'accepter pour moi-même, mais plutôt pour tous ceux qui sont sur un mauvais chemin et qui peuvent penser que tout peut changer. Je voudrais être cet exemple-là. »

Cette situation montre qu'il est possible d'apprendre de nouvelles conduites et ainsi de voir la vie différemment. Dans le cas de Besse, celui-ci prouvera qu'il a vraiment changé quand il sortira de prison.

À ce moment, il pourra démontrer que de nouvelles valeurs l'inspirent et qu'il y associe des conduites adéquates.

Il est bon de suivre sa pente,
pourvu que ce soit en montant.
André Gide

Protéger ses rêves, ses idéaux et ses valeurs

À la fin de juin 2001, la journaliste Nathalie Petrowski assiste à la première québécoise des *Parapluies de Cherbourg,* œuvre présentée dans une nouvelle adaptation théâtrale. Réputée pour ses critiques cinglantes, la journaliste n'apprécie habituellement pas les œuvres « mouchoirs »; elle fait plutôt dans le cynisme quand un spectacle lui déplaît. Ce soir-là, elle sort de la représentation « les yeux humides et le cœur gros » mais surtout furieuse de s'être fait piéger par ses sentiments.

> « Avec le temps, la brume s'est levée et j'ai compris que sous les parapluies, il n'y avait pas qu'un premier chagrin d'amour. Il y avait aussi les rendez-vous manqués, les occasions ratées, les rêves envolés en fumée, les amours dissoutes dans l'eau grise du quotidien, les idéaux qui se dégonflent, les chemins qui se rétrécissent, toutes ces choses simples et universelles partagées par tous les êtres humains qu'ils soient de Paris, de Cherbourg, de Joliette ou de Montréal. »

Nathalie Petrowski, « Sous les parapluies », dans *La Presse,* le 3 juillet 2001.

Je m'interroge:

- La réflexion de Nathalie Petrowski est juste, mais elle exprime du défaitisme et de la résignation. Oui, la vie se présente souvent de cette manière. Mais cette citation confirme que l'adolescent et le jeune adulte sont des êtres riches en idéaux et en projets d'avenir. Comment acceptons-nous que l'âge adulte transforme cet élan en défaitisme? Ne serait-il pas préférable de donner l'exemple aux jeunes en leur démontrant par nos actions que l'idéalisme n'est pas absence de réalisme?
- Je crois que cette détérioration des rêves et des idéaux attribuée au passage à l'âge adulte est plutôt due à la pauvreté des capacités d'analyse et de décision. Si l'on ne connaît pas ses repères, on peut difficilement décider d'une manière éclairée. Dans les écoles, on ne développe pas plus ces habiletés qu'on n'y développe son jugement critique.
- Quelquefois, j'ai l'impression qu'on croit que décider rend malheureux.
- D'autres fois, j'ai l'impression qu'on fuit les décisions et les repères tout simplement parce qu'on craint l'engagement.

11

Les dernières nouvelles de Josette

Lors de mon premier contact avec Josette, celle-ci dérivait, selon son expression, depuis trente mois. Douze autres mois se sont écoulés depuis cette constatation. Mais souvenons-nous qu'un changement de point de vue s'est opéré au moment où elle a pris la décision ferme de se réorienter au cours de l'année tout en sachant que ses ressources financières s'épuiseraient pendant cette période, même si elle poursuit son mandat temporaire au cabinet d'orthophonie.

En analysant ses valeurs naturelles, elle prend conscience que celles-ci se présentent sous deux angles : un premier qui l'engage elle-même et un deuxième qui nécessite un apport de l'autre.

- L'accomplissement et la reconnaissance.
- Le dévouement et le partage.
- L'amour.

Le même phénomène se produit pour les valeurs qu'elle n'arrive pas à situer dans sa nouvelle vie : la famille et l'amitié.

Affectionnant les choses rationnelles, elle prend le temps de définir chacune des valeurs en les associant à des conduites cohérentes qu'elle pourrait développer dans sa vie personnelle. Elle nomme des projets et des rêves qu'elle souhaite réaliser au cours des prochaines années en se demandant toujours en quoi ils lui permettraient de s'approcher de ses valeurs les plus importantes. Cette règle lui sert de filtre pour prendre des décisions. « À quoi bon définir ses valeurs si elles ne servent pas à soutenir les décisions à prendre ? », se dit-elle.

Par la suite, elle partage les résultats de son introspection avec Bertrand qui se fait un plaisir de réagir à ses messages.

Quelquefois, Josette échange sur son cheminement avec Brigitte et Antoine, sans les accaparer. Josette a compris que ses deux voisins protègent leurs valeurs de couple en restant maîtres de leur emploi du temps. « Les valeurs famille, travail et amour sont une priorité absolue pour nous », explique Antoine, qui considère qu'il faut les protéger comme on devrait protéger l'environnement, c'est-à-dire en prenant des mesures actives. Josette aime bien cette approche et elle se promet de l'utiliser dans un proche avenir.

En plus de clarifier ses valeurs naturelles, Josette s'est donné aussi comme activité de réfléchir aux « trois trésors de la vie » : la santé, l'estime de soi et la spiritualité. Elle reconnaît avoir vraiment négligé, voire ignoré ces trois trésors au cours de la dernière décennie. Surtout la santé physique puisqu'elle a conscience du problème d'estime qu'elle vit, tandis que la dimension spirituelle est présente dans les dimensions éthiques qu'elle redécouvre maintenant. Josette constate qu'elle vient de consacrer plusieurs mois de sa vie à faire le ménage dans ses valeurs personnelles afin de se refaire une santé axiologique, mais qu'elle n'a pas pris une minute de son temps pour procéder à un bilan de santé physique. Pourtant, comme tout le monde, elle sait que les désordres psychologiques et existentiels ont des effets directs sur la santé physique même s'ils ne sont toujours immédiats. Elle se promet de consulter dans les meilleurs délais.

« Cher Bertrand,

> Je me sens bien. J'ai retrouvé une fougue qui me redonne de l'espoir. J'ai cessé de m'attrister sur mon aventure malheureuse en affaires. Grâce à Martin, mon ami livreur-boiseux-photographe, j'y suis arrivé. Un soir, alors que je reprenais la rengaine habituelle de mes doléances, il m'a ébranlée en me disant de cesser de me dévaloriser alors que je devrais plutôt profiter de cette expérience et en tirer des leçons positives pour l'avenir. Mais il a été encore plus loin en me recommandant de cesser d'avoir honte de ce que j'ai fait tout en me faisant savoir qu'il ne m'appréciait pas quand je me méprisais comme cela. Selon lui, un bon nombre de personnes que j'ai fréquentées durant cette période me reverraient avec plaisir. Je commence à penser comme Martin. Alors j'ai décidé de cesser de fuir ; je suis encore blessée, mais la tristesse m'a quittée. [...]
>
> Progressivement, je retrouve aussi une passion pour les activités intellectuelles et pour les débats d'idées. Une fois par semaine, je fréquente un café-rencontre animé par un groupe d'écrivains méconnus et de philosophes autodidactes. J'ai même accepté d'y présenter le dernier ouvrage de monsieur Marcel, le philosophe de mon petit village. Je crois que tu le connais bien. Avec Martin, j'ai aussi le projet d'une exposition photographique sur les affiches qui identifient bon

nombre de maisons dans la région. Tous les dimanches, nous partons en randonnée pour les photographier et pour rencontrer les propriétaires afin de connaître la petite histoire de chacune des maisons. Évidemment, mon affiche devant la maison servira de base à cette exposition.

Que penses-tu des valeurs que je retiens pour m'orienter ?

C'est ce à quoi je dis oui.

En pièce jointe, tu trouveras la fable « Rien de trop » de La Fontaine.

Je t'embrasse et je t'aime beaucoup.

Josette de la petite maison au hamac jaune sur les bords de l'océan Atlantique. »

« Chère Josette,

Enfin je te reconnais dans les valeurs que tu annonces. Plus justement, je devrais dire que je te retrouve avec l'esprit de tes vingt-cinq ans qui m'avait tant impressionné à l'époque.

Je poursuis sur une réflexion de Martin. Je crois que tu devrais reprendre contact avec quelques personnes de ton ancien monde. Non pas pour t'y insérer à nouveau ou pour prendre une revanche sur celui-ci, mais tout simplement pour cesser de t'isoler et de fuir. Tu en tireras peut-être de belles leçons de vie.

Tout comme toi, je me suis informé sur l'expression « Rien de trop ». J'ai trouvé ceci : oui, La Fontaine a créé une fable à partir de cette maxime grecque. Au fronton du temple de Delphes, il y a la devise maintenant connue de tous « Connais-toi toi-même». Sur le même sanctuaire, une autre devise est inscrite: «Rien de trop», qui a été interprétée et reprise par Horace: «De la mesure en toute chose.»

Pour moi, cette expression est le contraire de la mégalomanie et aussi elle remet en question le toujours-plus qui est le propre de la société actuelle. En fait, elle peut inspirer un mode de vie.

En terminant, il est possible que je prenne quelquefois du retard pour te répondre. Je dois compléter mon mandat ici plus rapidement que prévu. Et par la suite, j'aurai besoin d'un bon repos à l'aube de mes soixante-dix ans.

À bientôt.

Je suis toujours avec toi quoi qu'il arrive.

Je t'embrasse.

Bertrand de la petite maison au hamac jaune sur les bords de l'océan Indien.»

Josette suit les conseils de Bertrand et de Martin. Sur une liste qu'elle a conservée, elle pointe les personnes qu'elle souhaite joindre et biffe celles qui sont inintéressantes de même que celles qu'elle considère comme «ses ennemis». Elle prend alors conscience que la guerrière en elle n'est pas totalement disparue.

Elle envoie le même message à une cinquantaine de correspondants:

«Bonjour. Je vous ai quitté d'une manière précipitée à la suite de problèmes que tous les entrepreneurs connaissent. Sachez qu'il est difficile de se remettre d'une telle aventure, mais que je garde espoir d'être à nouveau utile à quelqu'un ou à quelque chose.

Un petit mail de votre part me fera un énorme plaisir.

Bonne continuation de nos projets personnels et professionnels.

Josette »

Étonnée, elle a reçu une trentaine de réponses qui lui ont ainsi permis de renouer avec des entrepreneurs et des personnes qu'elle avait employées au cours des années. Dans tous ces messages, pas d'amertume, pas de reproches. Tout simplement des nouvelles. Et de la joie de cette reprise de contact.

Un de ces messages comble Josette.

« Madame,

Vous avez déjà appartenu à notre association patronale qui a des ramifications dans tous les départements français. Nous gardons un excellent souvenir de vos participations à nos congrès et à nos séminaires dédiés aux entrepreneurs.

Je serai direct. À titre de président du conseil d'administration, je prends l'initiative de vous offrir un poste dans notre association. En effet, je rêve de créer un service d'aide à nos membres et à nos ex-membres afin de les soutenir lorsqu'ils rencontrent des problèmes semblables à ceux que vous avez connus. L'expérience des uns pourrait servir aux autres. Tout est à créer. J'ai la ferme conviction que vous êtes la personne que je recherche. Votre dévouement, votre expérience et votre charisme seront bénéfiques à notre projet qui doit prendre son envol dans les meilleurs délais.

J'attends donc votre réaction afin de discuter du contrat et des conditions d'engagement.

Je vous salue respectueusement.
Solidairement.
Charles T., président. »

Josette crie de joie. Elle transmet le message à Bertrand et à Martin. Elle répond immédiatement au président du conseil:

« Oui votre offre m'intéresse beaucoup. Je dois cependant vous mentionner que j'accepte le poste dans la mesure où j'exercerai le leadership sur la conception du projet, évidemment en tenant compte des besoins des membres et de la mission de l'association. »

Au cours de la même semaine, le contrat est signé pour un mandat de trois ans. Par la suite, elle offre ses services de bénévole au mouvement scout de sa région. Elle a lu dans le journal régional que les guides et les scouts avaient fusionné en un seul mouvement mixte et que les défis de cette intégration étaient immenses. Elle se rappelle que ce mouvement a contribué à son apprentissage, alors elle veut y apporter sa propre expérience comme madame Arlette, cette femme d'exception qui faisait toute la différence. Elle prend également la décision de poursuivre son projet d'exposition avec Martin ainsi que son engagement au café-rencontre.

« Cher Claude,

Voilà pour les dernières nouvelles. Sachez que je me sens très utile actuellement. Je redécouvre la joie d'aider et d'accompagner les autres. Je maintiens le cap avec mes valeurs. Et j'ai le sentiment profond de cheminer dans mes convictions. À l'association, j'ai trouvé des gens qui considèrent mon expérience dans le monde des affaires comme une richesse. Je m'y sens appréciée. Je sens que je vis le partage à tous les jours.

Chez les scouts, je travaille beaucoup sur les rêves et les idéaux dans le contexte d'une pédagogie par projet. J'essaie aussi d'aider ces filles et ces garçons afin qu'ils comprennent comment ça fonctionne la société, non pas pour s'y conformer absolument, mais pour y trouver une place dans laquelle on se sent à l'aise.

À bientôt.

Amitiés.

Josette »

PS

« J'oubliais de vous faire part de ma nouvelle devise mise bien en évidence dans mon bureau :

Ose demeurer qui tu es, même au risque de détonner pour le reste de ta vie. »

Notes

[1] Ce roman, non pas inachevé mais à peine esquissé, porte le titre : *Un banc, un parc et le ciel.*

[2] Claude Jasmin, écrivain sexagénaire prolifique et hyperactif.

[3] Il ne faut pas confondre la notion de valeurs universelles avec celle de valeurs naturelles. J'y reviendrai dans la deuxième partie de cet ouvrage.

[4] Pour plusieurs des témoignages présentés tout au long de ce récit, j'ai habituellement changé le prénom des personnes afin d'éviter qu'elles soient reconnues. Quand j'ajoute le nom de famille au prénom, c'est parce qu'il s'agit d'histoires qui sont publiques.

[5] Cette trilogie sur les valeurs comprend trois titres publiés aux éditions Contreforts : *Pour que les valeurs ne soient pas du vent*, en 2002 ; *Quelle est votre mosaïque de vie ?*, en 2003 et *Vivre ses valeurs naturelles*, en 2005.

[6] *Le chanteur abandonné*, paroles et musique de Michel Berger dans une interprétation de Johnny Hallyday, mai 1985.

[7] *Quelque chose de Tennessee*, paroles et musique de Michel Berger dans une interprétation de Johnny Hallyday, mai 1985.

[8] Alors ministre de la Culture, Jack Lang crée en 1982 cette activité populaire qu'est la Fête de la musique qui, symboliquement, se tient le 21 juin. L'intention de cette fête est de donner l'occasion aux amateurs et aux professionnels de la musique de jouer de la musique. À partir de 1985, cette idée se répand dans plus de cent pays.

[9] *Veiller tard*, paroles et musique de Jean-Jacques Goldman.

[10] Voir la description de mes ouvrages suivants sur le site http://claudepaquette.qc.ca : *L'Effet caméléon* (1990), *Des idées d'avenir pour un monde qui vacille* (1992) et *Demain, une caricature d'aujourd'hui* (1996).

[11] Voir cette liste dans l'ouvrage *Quelle est votre mosaïque de vie ?*, éditions Contreforts, 2003, pages 153 à 157.

[12] Ne pas confondre « personnalités exceptionnelles » avec « personnalités célèbres ».

[13] Michelyne Lortie-Paquette, *Moi, je suis moi*, Montréal, éditions Québec Amérique, 1980.

[14] Bertrand Vergely, *Les grandes interrogations philosophiques*, éditions Milan, Toulouse, 1998, pages 52-53.

[15] On prétend souvent qu'il existe aussi des personnalités malsaines mues par des valeurs inacceptables. Je reviens sur le sujet dans l'épilogue.

[16] Je hais ce mot depuis qu'il est utilisé toutes les fois qu'on parle d'un problème ou même d'une opinion.

[17] Chronique publiée sur le site de l'écrivain Claude Jasmin, le 9 septembre 2004. Site : (www.claude-jasmin.com).

[18] Éditions La Table Ronde, Paris, 2004.

[19] Dans l'ouvrage *Pour que les valeurs ne soient pas du vent*, voir les chroniques qui traitent des valeurs communes dans le couple. Dans *Quelle est votre mosaïque de vie ?*, une démarche complète est présentée au chapitre 4.

Le trio bibliographique